Coleção Vértice
113

SINAIS DE VIDA

Quarenta costumes católicos
e suas raízes bíblicas

SCOTT HAHN

SINAIS DE VIDA

Quarenta costumes católicos
e suas raízes bíblicas

Tradução
Diego Fagundes

São Paulo
2019

Copyright © 2019 by Scott W. Hahn

Esta tradução é publicada mediante contrato com a Image Books, um selo da Crown Publishing Group, divisão da Penguin Random House LLC

Capa
Bruno Ortega

Título original
Signs of Life: 40 Catholic Customs and Their Biblical Roots

Dados Internacionais de Catalogação na Publicação (CIP)
(Câmara Brasileira do Livro, SP, Brasil)

Hahn, Scott

Sinais de vida : quarenta costumes católicos e suas raízes bíblicas / Scott Hahn; tradução de Diego Fagundes. – São Paulo : Quadrante, 2019. (Coleção Vértice; 113)

Título original: *Signs of Life: 40 Catholic Customs and Their Biblical Roots*.
ISBN: 978-85-54991-27-2

1. Igreja Católica - Doutrinas 2. Igreja Católica - Costumes e práticas 3. Vida espiritual - Cristianismo I. Título II. Série

19-26458   CDD 282

Índice para catálogo sistemático:
1. Vida católica : Costumes e suas raízes bíblicas : Cristianismo 282

Maria Paula C. Riyuzo - Bibliotecária - CRB-8/7639

Todos os direitos reservados a
QUADRANTE EDITORA
Rua Bernardo da Veiga, 47 - Tel.: 3873-2270
CEP 01252-020 - São Paulo - SP
www.quadrante.com.br / atendimento@quadrante.com.br

Sumário

Introdução

Sinais de vida 11
    Propósitos cruzados 13
    Lodo nos olhos 15
    Botando ordem na casa 16
    Lendo os sinais 18
    Vivendo os mistérios 20
    Distintas possibilidades 22
    Como funciona este livro 23
    De volta à Cruz 26

Parte I - A vida começa

1. Água benta 31
    Medite no coração 34
2. O sinal da cruz 35
    Medite no coração 39
3. Batismo 41
    Medite no coração 46
4. A Missa 49
    Medite no coração 53
5. Anjos da guarda 55
    Medite no coração 59

Parte II - A vida e seus tempos

6. O calendário da Igreja 63
   Medite no coração 67
7. Quaresma e Páscoa 69
   Medite no coração 74
8. Advento e Natal 75
   Medite no coração 79
9. Novenas 81
   Medite no coração 85

Parte III - Um dia na vida

10. Postura 89
    Medite no coração 93
11. Oferecimento matinal 95
    Medite no coração 99
12. Jaculatórias 101
    Medite no coração 105
13. Ângelus 107
    Medite no coração 110
14. Bênção dos alimentos 113
    Medite no coração 116
15. Exame de consciência 117
    Medite no coração 121

Parte IV - Lições de vida

16. Estudo da Bíblia 125
    Medite no coração 130
17. Leitura espiritual 131
    Medite no coração 135
18. Retiro 137
    Medite no coração 140

Parte V - Fases da vida

19. Crisma 145
    Medite no coração 148

20. Casamento	151
Medite no coração	157
21. Sacerdócio	159
Medite no coração	164
22. Unção dos enfermos	167
Medite no coração	170

PARTE VI - O TEMPERO DA VIDA

23. Incenso	175
Medite no coração	178
24. Velas	181
Medite no coração	184
25. Imagens sacras	185
Medite no coração	189
26. Relíquias	191
Medite no coração	194
27. Jejum e mortificação	197
Medite no coração	201

PARTE VII - VIDA ABUNDANTE

28. Confissão	205
Medite no coração	210
29. Indulgências	211
Medite no coração	214
30. Intercessão dos santos	217
Medite no coração	221
31. Peregrinações	223
Medite no coração	227
32. Presença de Deus	229
Medite no coração	233
33. Esmola	235
Medite no coração	239

PARTE VIII - AMOR PARA A VIDA TODA

34. Devoção à Trindade	243
Medite no coração	247

35. O Rosário 249
    Medite no coração... 254
36. Escapulários e medalhas 255
    Medite no coração... 259
37. Oração mental 261
    Medite no coração... 264
38. Reverência ao sacrário 265
    Medite no coração... 268

Parte IX - A vida continua

39. Preparação para a morte 273
    Medite no coração... 278
40. Orações pelos mortos 279
    Medite no coração... 282

Epílogo 285

*A Veronica Margaret Hahn,
minha primeira neta*

Introdução
Sinais de vida

Não importa qual seja nossa área de trabalho, não importa quais sejam as condições da nossa vida pessoal: todos vivemos dias em que damos de cara com um muro – um muro íngreme demais para ser escalado, alto demais para ser transposto e espesso demais para ser derrubado. Esses muros podem assumir, por exemplo, a forma de problemas profissionais ou de relacionamento. Fazemos o possível para passar por cima deles; tentamos dar a volta, passar por baixo, quiçá até atravessá-los. No entanto, chega um ponto em que não há mais nada a fazer.

Já enfrentei muitos desses momentos, e há um deles de que me lembro vivamente. Na ocasião, eu era um jovem acadêmico e tinha uma jovem família. Estava trabalhando na minha tese de doutorado, obra que viria a coroar meus estudos em teologia, quando me vi diante de um problema na interpretação de certo versículo bíblico. A passagem era pequena, mas o problema, grande; o versículo, ademais, era fundamental para a minha argumentação. Logo, eu precisava desfazer todos os nós interpretativos antes de defender a tese diante da banca. Na verdade, se eu *não* conseguisse desfazer os nós, era quase certo que não seria aprovado.

Li todos os comentários disponíveis sobre o assunto e não encontrei nada que me fosse útil – nem um mísero vestígio de luz, com exceção da compaixão compreensiva dos acadêmicos que haviam enfrentado aquele mesmo muro antes de mim. Hesitei, enrolei, meditei e fiquei de um lado para o outro durante meses, sem porém encontrar uma maneira de seguir adiante. Aquele era um grande problema, considerando que já havia me dedicado à pesquisa por vários anos. Se abandonasse o projeto naquele momento, teria de enfrentar um retorno longo, difícil e humilhante ao início do processo de aprovação da tese.

E, então, o muro ficou mais alto ainda.

Meu orientador, um padre jesuíta, telefonou-me para dizer que havia sido transferido para Roma – mais precisamente, para a Universidade Gregoriana. Era preciso, segundo ele, que eu concluísse a tese imediatamente. Caso contrário, teria de procurar outro orientador, que podia achar ou não minha tese plausível.

Deixei de dormir e intensifiquei meus esforços, debruçando-me sobre os livros e telefonando à noite para pesquisadores que eu sequer conhecia pessoalmente.

E tudo em vão. O muro parecia mais alto do que nunca. Do outro lado se estendia uma carreira profissional, a possibilidade de ser nomeado professor, honrarias, empregos, publicações... Do lado de cá, por sua vez, parecia-me só haver uma coisa: a ruína profissional.

Passei semanas me debatendo contra esse assunto até que aconteceu algo verdadeiramente memorável. Meu orientador me ligou de novo. Queria se certificar de que eu estava preparado para *qualquer coisa* que viesse a surgir no momento em que fosse defender a tese. Em seguida, ele leu uma lista de possíveis dificuldades e obstáculos que eu não havia considerado antes, mas que possivelmente encontraria no grande dia.

Percebi que estava derrotado, mas não podia admiti-lo – era orgulhoso demais. No entanto, também reconhecia que havia nisso um problema. Para completar, estava sem dormir direito e cheio de cafeína no organismo, o que fazia da minha cabeça um emaranhado de problemas morais e acadêmicos de proporções bíblicas.

Não me restava nada a fazer. Logo, eu precisava fazer *alguma coisa*.

Propósitos cruzados

Na época em que enfrentei essa crise, não havia muito tempo – pouco menos de dez anos – desde que me tornara católico romano. No entanto, como convém a qualquer criança de dez anos, minha memória e minha imaginação estavam repletas de episódios da vida dos santos.

Não me levem a mal, por favor; não estou dizendo que eu seja um Francisco de Assis ou um Inácio de Loyola. Também não estou tentando exagerar meu drama. No grande plano da história humana, minha tese tinha pouca importância. Na minha vida pessoal, porém, era questão de vida ou morte. Como vim a aprender ao longo dos anos, é justamente nesse tipo de crise que as biografias dos santos devem nos servir de modelo.

O muro era muito alto. Houve, no entanto, um dia em que subitamente me dei conta de que havia algo muito mais alto do que aquele muro, e assim percebi o que tinha de fazer. Coloquei uma blusa e saí de casa no meio da madrugada. Nem me preocupei em pentear o cabelo.

As ruas da vizinhança ainda estavam escuras. O jeito mais rápido de chegar à universidade onde dou aula era seguindo reto pela minha rua e atravessando um bosque; foi precisamente esse o caminho que fiz.

Meu objetivo – aquele algo que era muito mais alto do que o muro – se fazia visível no horizonte desde o início da minha caminhada. Erguendo-se por sobre os alojamentos estudantis, a biblioteca e os laboratórios da Universidade Franciscana de Steubenville, havia uma cruz de aço de mais de dezoito metros de altura – uma cruz iluminada, visível desde a rodovia interestadual, ou mesmo desde a outra margem do Rio Ohio, na Virgínia Ocidental.

Passei apressadamente pelo *campus* silencioso. Se alguém tivesse me visto, certamente pensaria que eu enlouquecera de tanto estudar (cf. At 26, 24). É bem verdade que minha cabeça estava esgotada, mas também é provável que estivesse mais sã do que nunca. Por fim, parei aos pés daquela cruz brilhante e colossal.

Ali, nem precisei pensar muito. Sabia o que os santos da história da Igreja haviam feito. Eu tinha de fazer alguma coisa. Tinha de fazer o mesmo que eles.

Então, eu beijei a Cruz, deitei-me diante dela com o rosto virado para baixo e chorei.

A essa altura, eu já havia tido contato com o melhor que o mundo acadêmico podia oferecer. Havia consultado as mais reputadas bibliotecas de pesquisa e contatado pessoalmente os pesquisadores mais talentosos. Nada disso fora suficiente. E eu disse tudo isso a Jesus. Meu muro era alto demais. No entanto, sabia que, a despeito do que estivesse enfrentando, a cruz dEle era ainda mais alta.

Afinal, Ele podia dispor de muito mais do que eu. Mesmo assim, muito embora fosse Deus,

> *não se prevaleceu de sua igualdade com Deus, mas aniquilou-se a si mesmo, assumindo a condição de escravo e assemelhando-se aos homens. E, sendo exteriormente reconhecido como homem, humilhou-se ainda mais, tornando-se obediente até a morte, e morte de cruz* (Flm 2, 6-8).

Deitado ali, com meu rosto no chão, entreguei tudo a Ele, como eu sabia que tinham feito São Francisco e tantos outros. Disse-Lhe que, se era para eu fracassar, que então eu fracassasse – que eu fosse aniquilado como Ele fora aniquilado.

Lodo nos olhos

O que aconteceu depois?

Logo chegaremos lá. Antes, eu gostaria de fazer algumas considerações sobre a beleza da vida católica.

Às vezes, percebemos que estamos diante de um muro. Noutras, percebemos que acabamos de bater contra um muro em alta velocidade... e o capacete ficou em casa. Quando isso acontece, há algo em nossa natureza humana que nos diz: «Não fique parado aí! Faça alguma coisa!». Deus nos criou assim. Ele nos criou com corpos feitos para a ação, nos colocou para trabalhar num mundo cheio de coisas a serem feitas.

Ao longo de toda a história, Ele tem levado em consideração nossa tendência natural e nos dado coisas para fazer. Quando o povo teve sede, Deus instruiu Moisés a ferir uma rocha para que dela fluísse água. Por que Ele fez isso? Não foi porque precisasse, já que podia ter feito cair cantis das nuvens, ter colocado um grande lago no meio do deserto, ou mesmo ter pedido para que seus anjos trouxessem grandes jarras cheias de margarita. No entanto, Deus conhecia a natureza humana e sabia de nossa necessidade de *fazer alguma coisa*. Portanto, deu a Moisés algo para fazer.

Do tempo de Moisés ao tempo de Jesus, nada mudou na natureza do homem. Jesus poderia ter curado o cego com um simples aceno de cabeça ou uma mera palavra, mas não o fez. Antes, produziu um pouco de lodo usando saliva e terra e o mandou lavar os olhos numa fonte perto dali (cf. Jo 9, 6-7).

Noutra ocasião, Jesus estabeleceu como condição para a cura dos leprosos que eles se apresentassem aos sacerdotes do Templo. E, enquanto eles iam andando, ficaram curados (cf. Lc 17, 14).

A vida católica – a vida da grande tradição cristã – é uma tremenda herança legada por santos que viveram em vários lugares, sob diversas circunstâncias, ao longo de dois milênios. Ser católico é nunca ter de dizer que não há mais nada a fazer. Nossa oração é enriquecida pelas imagens sacras e pelo incenso, pelas velas votivas e contas do Terço, pela água e pelo óleo, pelos gestos e posturas, pelas bênçãos e medalhas, pelos costumes e cerimônias.

Uma vez que estava aprendendo a levar uma vida católica, eu podia dizer que, mesmo sozinho no meu escritório às três da manhã, mesmo no meio de uma crise profissional, mesmo, enfim, não havendo mais nada a fazer, eu podia fazer alguma coisa.

Podia sair imediatamente em peregrinação.

Podia me prostrar em oração.

Podia venerar a Santa Cruz.

Podia recorrer às Escrituras.

Na verdade, eu podia fazer todas essas coisas, e não havia ninguém acordado para me impedir. Foi precisamente isso, então, o que eu fiz.

Botando ordem na casa

A vida católica está repleta de coisas assim. Todavia, nem sempre entendemos por que elas fazem parte da nossa tradição. Mesmo os católicos mais devotos podem vir a tratar esses muitos costumes como se fossem atos desconexos e aleatórios, isto é, como superstições que de alguma forma ganharam aprovação da Igreja.

Por essa razão, às vezes vemos intelectuais católicos escarnecendo da devoção popular. Essa é a última das minhas intenções. Em primeiro lugar, porque Jesus enalteceu mais os fiéis simples e as crianças do que os intelectuais de seu tempo (e suponho que as regras da natureza humana sejam as mesmas até hoje). Depois, porque eu sei que as devoções católicas populares estão devidamente alicerçadas nas Escrituras – e espero poder demonstrá-lo no decorrer deste livro – e que eram praticadas pelas melhores cabeças da tradição intelectual da Igreja. Por fim, porque conheço muita gente mais santa do que eu que não teve acesso à educação teológica. De fato, muitos dos santos canonizados não tiveram qualquer educação formal. Por tudo isso, os intelectuais fariam bem se rezassem o Terço ao lado dos outros fiéis em suas paróquias. Trata-se do melhor remédio contra esse escarnecimento. Louis Pasteur foi um dos maiores intelectuais da era moderna, mas rezava o Terço como uma criança.

Além disso, é um equívoco tratar *inteligência* e *devoção* como duas coisas mutuamente excludentes. O melhor a se fazer é oferecer as devoções com inteligência. Jesus nos instruiu a não rezar como os teólogos hipócritas (cf. Mt 6, 5), mas também não deseja que rezemos como pagãos que não fazem ideia do que estão fazendo (cf. Mt 6, 7). Um santo do século XX, São Josemaria Escrivá, enunciou bem essa questão. Ele rogava aos católicos que tivessem a sabedoria dos teólogos e a devoção das crianças.

Como católicos, somos livres para cultivar uma vida rica em devoção, baseando-nos em tesouros que herdamos de muitos lugares e de muitas épocas. Todavia, como diz São Paulo, *faça-se tudo com dignidade e ordem* (1 Cor 14, 40).

Este livro, portanto, é uma celebração de todas aquelas coisas que são católicas, bem como da doutrina bíblica que as catoliciza. No entanto, é também algo mais: trata-se de um manual, um guia, uma defesa amorosa, um estímulo amigável para que façamos sempre o nosso melhor, independentemente do ponto em que nos encontremos no nosso desenvolvimento espiritual.

Um dos meus objetivos com este livro é mostrar como os costumes e devoções católicas se encaixam no panorama mais amplo da fé cristã. Nossa primeira tarefa, pois, é desenvolver uma nova forma de visão, uma nova maneira de crescer em sabedoria e conhecimento. Essa maneira é tradicionalmente chamada de *mistagogia*.

Lendo os sinais

A palavra vem do grego *mystagogia*, que significa «conduzir para o mistério». Na educação mistagógica da Igreja primitiva, um sacerdote (em geral o bispo local) se ocupava de explicar os pequenos detalhes da liturgia e de mostrar como correspondiam simbolicamente aos acontecimentos narrados na Bíblia. O método remete ao Novo Testamento, em especial às ocasiões em que São Paulo e São Pedro falam do Batismo e da Eucaristia como cumprimento do que fora prefigurado no Antigo Testamento (cf., por exemplo, 1 Cor 10, 2-17; 1 Pe 3, 18-21).

A mistagogia permite que os novos fiéis vejam além dos sinais e contemplem aquilo que eles significam; possibilita que vejam além do aqui e do agora, que vislumbrem os mistérios divinos que um dia nos serão plenamente visíveis no céu (cf. 1 Jo 3, 2), mas que já estão verdadeiramente presentes, hoje, na Igreja.

Podemos ouvir a história do dilúvio e, por meio da instrução, da oração e da meditação, identificar ali as águas salvadoras do batismo. No entanto, podemos também ir além do sinal batismal e discernir a ação do Espírito Santo, uma vez que a Terceira Pessoa da Santíssima Trindade é, em última análise, a realidade significada e comunicada pelas águas do batismo.

Ora, até os milagres de Jesus, por mais grandiosos que fossem, serviram primeiramente como «sinais». É essa a palavra que São João utiliza para descrevê-los (cf., por exemplo, Jo 2, 11; 4, 54). Aqueles eram acontecimentos reais e impactantes, mas ainda assim apontavam para além de si mesmos, para uma realidade divina e transcendente. Tomemos como exemplo a cura do paralítico (cf. Mc 2, 3-12). Nosso Senhor deixou claro que a cura da paralisia era um feito menor se comparado ao perdão dos pecados. A cura física foi apenas sinal exterior de uma cura maior – a cura interior, espiritual. Afinal, a cura física consistia num adiamento temporário: mais cedo ou mais tarde, a vida daquele homem seguiria seu curso natural e ele viria a sofrer e morrer. A cura espiritual, no entanto, perduraria até mesmo depois da morte; resultaria numa nova criação, mediante um ato que só podia vir de Deus e mais ninguém (cf. Mc 2, 7).

Jesus nos conferiu o privilégio de participar da vida e das ações salvadoras de Deus. Na Santa Ceia, falou de seus sinais milagrosos e fez aos apóstolos uma promessa: *Em verdade, em verdade vos digo: aquele que crê em mim fará também as obras que eu faço, e fará ainda maiores do que estas* (Jo 14, 12). Embora os apóstolos de fato tenham feito milagres ao longo de seus respectivos ministérios, não chegaram a fazer nada que ultrapassasse em grandiosidade os milagres de Jesus. Ao que Ele se referia, então?

Jesus se referia aos sacramentos.

Os primeiros cristãos acreditavam nos sacramentos. Acreditavam que os sacramentos não apenas *remetiam* ao poder divino de Jesus, mas também *comunicavam* esse poder. Todas as palavras têm significado. Nos Evangelhos, contudo, as palavras de Jesus materializavam a realidade a que se referiam. Quando Ele falava, demônios eram expulsos, pessoas se curavam, ventos uivantes e águas revoltosas se acalmavam, mortos recobravam a vida. E esse mesmo Verbo divino conserva até hoje o poder de transformar as coisas da criação e os momentos da vida. Fá-lo, porém, por meio do ministério da Igreja, que se vale de elementos terrenos – pão e vinho, gestos e posturas, água e óleo – para trazer santidade às nossas vidas. É o que ocorre nos sacramentos, aos quais a Igreja primitiva se referia como «mistérios». No século V, o papa São Leão Magno disse: «Tudo o que era visível em nosso Salvador passou a seus mistérios»[1]. A mistagogia, portanto, tem raízes na graça de Deus, no poder que Ele tem de nos transformar.

Esse poder não pode ser captado por nossos sentidos naturais, e a mistagogia é a maneira tradicional da Igreja de revelá-lo

---

(1) São Leão Magno, *Sermão* 74, 2. Cf., também, o *Catecismo da Igreja Católica* (doravante, CIC), n. 1115.

à nossa mente e ao nosso espírito. Trata-se da forma que os santos empregaram para revelar o amor divino que continua presente nos símbolos, a vida divina que subsiste nos sinais. Nas coisas santas da nossa tradição, objetos materiais nos revelam realidades imateriais; acontecimentos temporais desvelam mistérios eternos.

A mistagogia consiste em guiar os fiéis a uma comunhão real, a uma participação real, aos mistérios salvíficos celebrados nos símbolos e rituais do culto da Igreja. Certa feita, o papa Bento XVI afirmou: «[...] o fruto maduro da mistagogia é a consciência de que a própria vida vai sendo progressivamente transformada pelos sagrados mistérios celebrados», formando um «homem novo»[2].

Vivendo os mistérios

Para os primeiros cristãos, o mistério de Cristo não estava limitado aos rituais sacramentais, mas também tangenciava questões morais e cotidianas. O desígnio de Deus para *a plenitude dos tempos* era, afinal, *reunir em Cristo todas as coisas, as que estão nos céus e as que estão na terra* (Ef 1, 10). Em Cristo *foram criadas todas as coisas nos céus e na terra, as criaturas visíveis e as invisíveis. [...] Tudo foi criado por Ele e para Ele. [...] E todas as coisas subsistem nEle* (Cl 1, 16-17).

Portanto, em Cristo todas as coisas da terra se tornam placas que sinalizam a Deus. As coisas da terra não devem ser desprezadas, mas sacralizadas, elevadas, feitas santas mediante um uso santo. Na Missa, oferecemos a Deus o «fruto do trabalho humano»; em nosso trabalho, fazemos o mesmo. E não é menos o que realizamos com nossa devoção. Rezamos, segundo nossos costumes, tal qual os primeiros cristãos rezavam, com sacramentos e *sacramentais*.

---

(2) *Sacramentum caritatis*, 64.

E o que é um sacramental?

Trata-se de qualquer objeto que a Igreja destaca e abençoa para nos conduzir a bons pensamentos e aumentar nossa devoção. Um sacramental é *como* um sacramento, no sentido de que é canal de graça e sinal exterior de um mistério invisível da fé. No entanto, é também *diferente* de um sacramento – e de várias maneiras. Os sacramentos foram instituídos por Cristo, ao passo que os sacramentais foram estabelecidos pela Igreja. Os sacramentos comunicam *diretamente* a graça às nossas almas, enquanto os sacramentais o fazem *indiretamente*, conduzindo-nos à devoção e abrindo espaço para que possamos responder à graça de Deus.

Essa ideia é tão antiga quanto a Igreja. No século IV, São Gregório de Nissa pregou uma esplêndida homilia sobre o *princípio sacramental*. Começou enaltecendo a Deus pelo poder que deu às coisas comuns: à água do Batismo, ao pão e vinho da Missa, ao óleo da Unção, à imposição das mãos do bispo no momento da ordenação... «Muitas são as coisas que parecem insignificantes», disse, «mas que realizam obras poderosas»[3]. Com base no Antigo Testamento, ele enfatizou alguns itens comuns que Deus investira de poder milagroso: o cajado de madeira de Moisés, o manto de tecido rústico de Elias e os ossos do profeta Eliseu.

São Gregório notou que essa atribuição de poder não apenas continuava a existir em seu tempo, mas aumentava cada vez mais. E, em nossos dias, ela continua desta maneira, a oferecer-nos uma multiplicidade de graças. De fato, os três exemplos que ele expôs são antecessores remotos de práticas que continuam a existir nos dias de hoje – práticas estas que estão entre as que examinaremos neste livro: a veneração da Cruz, o uso do Escapulário do Carmo e a veneração das relíquias dos santos.

---

(3) São Gregório de Nissa, «Do batismo de Cristo».

Distintas possibilidades

Para os católicos, os sacramentos e sacramentais são sinais inconfundíveis de vida. Ambos fazem parte deste livro, e ambos também devem fazer parte da nossa vida e do nosso amor cotidiano.

A vida devocional do próprio Jesus era muito diversa. Ele participou de peregrinações e festas; fez orações espontâneas e formais; rezou de joelhos, de pé e prostrado; rendeu adoração sozinho, em congregações e ao lado de amigos; recitou as Escrituras; fez retiros de silêncio, longe da agitação e das distrações do mundo...

Temos o privilégio de poder imitá-lO em toda essa bela variedade de ações, e nossa tradição permite que o façamos de muitas maneiras diferentes. É verdade que nem todas as preces e devoções foram criadas da mesma forma. À medida que adotamos os costumes da nossa fé católica, é importante que saibamos distinguir aqueles que são essenciais daqueles que podemos escolher ou rejeitar com base em nossa liberdade cristã. Temos a obrigação inexorável de sermos batizados e irmos à Missa aos domingos e dias de preceito (cf. Jo 3, 5; 6, 53); não somos obrigados, no entanto, a rezar o Terço, a usar água benta ou a fazer novenas. No entanto, por vezes é aquilo que não é essencial o que transforma uma casa num lar de verdade. Sim, nós precisamos de tijolos e cimento para construir um abrigo funcional, mas a vida se torna muito mais completa quando também podemos sentir o aroma do jantar sendo preparado na cozinha e quando ouvimos as crianças conversando na sala. As devoções acima foram testadas e aprovadas ao longo do tempo, e elas de fato contribuem para fazer de nossa fé uma *vida* e da nossa Igreja, um *lar*.

Ainda assim, sei que alguns rejeitarão todo o conjunto de práticas devocionais, objetando que não passam de hábitos repetitivos e rotineiros. Bem, de fato é verdade que se trata de hábitos; também é verdade que podemos torná-los repetitivos e rotineiros. No entanto, essas características, se tomadas em si mesmas, não são negativas. Repetição e rotina são coisas boas quando se trata de cuidar da grama do jardim, do carro, do ensaio para uma apresentação musical ou da higiene pessoal. O que quero dizer é que, no âmbito da tradição católica e se vierem do coração, as rotinas de oração podem fazer muito bem para a alma. São como belas músicas ou jardins cultivados com carinho: frutos de hábitos repetitivos alicerçados no amor.

Outros objetarão, ainda, que essas ações não passam de superstições medievais ou tentativas de manipular a Deus. Isso simplesmente não é verdade. Quando oferecemos a Deus nossas orações, não estamos querendo que Ele nos obedeça. Muito pelo contrário: estamos permitindo que Ele faça as coisas do seu jeito. Esses caminhos de oração são misericórdias divinas, uma linguagem que Deus fomenta para que falemos com ele regularmente, ainda que não queiramos fazê-lo. Nossas devoções não são, num primeiro plano, algo que fazemos por Deus, uma vez que Ele não precisa do nosso louvor ou do nosso incenso; trata-se, antes, de algo que Deus faz por nós. Essas formas de comunicação se conformam notavelmente bem à mente e ao corpo humano, que foram criados por Deus para a sua glória.

Como funciona este livro

Nesta obra, nós examinaremos quarenta práticas tradicionais da Igreja. E por que quarenta? Esse número, é claro, tem um certo *pedigree*. A Bíblia fala dos quarenta dias em que as águas do dilúvio purificaram a terra; dos quarenta anos em que Israel esteve no deserto; dos quarenta dias que Elias passou em viagem; dos quarenta dias de arrependimento do povo de Nínive, por conta da pregação do profeta Jonas; dos quarenta dias em que Jesus jejuou no deserto; e dos quarenta dias que Ele passou com seus discípulos entre a Ressurreição e a Ascensão. Desde muito cedo a Igreja identificou esse padrão, estabelecendo os quarenta dias da Quaresma.

Quarenta, portanto, me pareceu ser um bom número. Espero que estas meditações sejam para nós um tempo de purificação, transformação e renovação, assim como foram os acontecimentos bíblicos que acabo de mencionar. Espero que possamos fazer juntos esta viagem rumo a uma compreensão mais profunda e completa da vida católica.

Por outro lado, não há nada de canônico nos quarenta costumes que escolhi. Minha seleção não é propriamente aleatória, mas também não é a única possível. Trata-se apenas de minha seleção – nada mais. À medida que sua devoção for crescendo, espero que você possa também fazer sua própria lista.

Do mesmo modo, estas meditações não são definições. Consistem, antes, em reflexões minhas, as quais tomei de empréstimo dos santos e dos papas e mesclei à minha maneira (que não é definitiva). Espero que você possa meditar sobre esses sinais de um modo que, enraizado na tradição, seja também seu.

A sequência dos capítulos também veio de uma escolha pessoal. Não se trata de uma sequência propriamente contínua; antes, eu a concebi para que tivesse efeitos cumulativos. Alguns capítulos de fato remetem a informações encontradas em capítulos precedentes. Como a vida, este livro avança, de maneira sinuosa, do nascimento até a morte. Sinta-se perfeitamente livre, no entanto, para saltar de um ponto a outro, segundo seus próprios interesses ou necessidades. Você é livre para ler no ritmo que quiser, embora o livro tenha sido escrito para ser lido com vagar, em contemplação.

Em cada capítulo, veremos as raízes bíblicas e históricas de um costume católico em particular. Encontraremos respostas para algumas objeções que os não católicos costumam levantar e tentaremos esclarecer concepções equivocadas. Cada capítulo se encerra com uma seção chamada «Medite no coração», título que faz referência ao que disse Lucas sobre a Santíssima Virgem: *Maria conservava todas estas palavras, meditando-as no seu coração* (Lc 2, 19). Espero que, à medida que meditemos as palavras de grandes mestres, pensadores e santos da história cristã, você e eu possamos fazer como Maria. Os trechos da seção «Medite...» vieram direto da tradição. Procurei incluir passagens da maioria dos séculos (se não de todos) transcorridos desde Jesus até hoje. Se vistas em conjunto, elas sublinham algo importante: que as doutrinas e devoções aqui mencionadas não são invenções minhas, mas foram confirmadas pela tradição e de fato funcionam. Ao longo dos séculos, elas ajudaram muitos outros católicos a marcar os passos do caminho até o céu. Escolhi passagens de uma grande variedade de autores, passagens que são de uma utilidade imensa.

Nosso objetivo, aqui, está em elevar a consciência que temos de nossa fé, em fazer com que nossas devoções sejam o mais *habituais* possível. Queremos formar bons hábitos de oração – ou, para empregarmos um termo moderno mais intimidador, disciplinas de oração. O princípio sacramental funciona tão bem porque pressupõe a realidade fundamental da natureza humana: somos feitos de corpo e alma, um corpo material e uma alma espiritual. O que fazemos com um desses componentes afeta profundamente o outro. Aquilo que fazemos com nosso corpo, com nossos sentidos, é o fundamento do nosso crescimento espiritual. A graça pressupõe a natureza.

Há muitas razões válidas e naturais para adotarmos os métodos tradicionais de oração. Os médicos reconhecem que eles relaxam o corpo, reduzem os níveis de estresse e suavizam o semblante. Além disso, criam também caminhos neurais duradouros. Qualquer um que já esteve, como eu, ao lado de católicos devotos à beira da morte pode confirmar o seguinte: frequentemente, há devoções que parecem se estender até o fim da consciência do fiel, ainda que muitas outras coisas já tenham se esvaído da memória. Tenho um amigo muito querido cuja mãe sobreviveu a um AVC e perdeu boa parte de suas capacidades físicas; uma das poucas coisas que restaram foi a récita do Terço, um hábito que fora se arraigando ao longo de toda a sua vida. Esse hábito acabou por tornar-se um caminho de recuperação para ela – e, como essa, conheço centenas de outras histórias.

Não faz nenhum sentido, pois, adiar as disciplinas de oração para quando estivermos mais velhos. Primeiro, porque talvez não tenhamos a possibilidade de ficar velhos. Depois, porque, mesmo que envelheçamos, pode ser que não tenhamos saúde, memória ou liberdade para criar novos hábitos.

Talvez isso soe clichê, mas não conhecemos o dia de amanhã. Sabemos que iremos sofrer, eu e você, porque isso faz parte da vida, mesmo da vida em Cristo. No entanto, nesses momentos de sofrimento, Deus nos sustenta. Ele e sua Igreja nos legaram um depósito de tradições, isto é, de métodos e recomendações, que ao longo de milênios se mostraram confiáveis na vida de inúmeros cristãos comuns, nas crises econômicas, nos desastres naturais, nas perseguições, na guerra... É isso o que eu chamo de pesquisa e desenvolvimento!

A cada provação, Deus *vos dará os meios de suportá-la e sair-des dela* (1 Cor 10, 13). Mesmo diante das circunstâncias mais incomuns, podemos ir ao encontro dEle, podemos resistir e vencer usando os meios de oração mais corriqueiros. Tudo o que precisamos fazer para voltar nossos pensamentos para Deus é tocar as contas de um Terço ou sentir o tecido de um escapulário – e é bom que seja assim, pois talvez haja momentos em que essas sejam as únicas coisas que podemos fazer.

Rezo para que você reze essas orações da melhor maneira possível; além disso, peço ao Espírito Santo e ao seu anjo da guarda que supram tudo aquilo que porventura lhe falte.

Ao fazer suas orações, por favor, lembre-se de rezar por este autor – que promete, por sua vez, rezar pelos seus leitores!

De volta à Cruz

Ah, sim: eu prometi que terminaria de contar a história da minha tese.

Voltei rezando o Terço pelas ruas escuras da minha vizinhança, mas me sentia como se em plena luz do dia. De volta ao escritório, retornei ao texto bíblico – que eu já tinha lido centenas, talvez milhares, de vezes – e o li como se fosse a primeira vez. Confrontei-o, na verdade, como se eu fosse a primeira pessoa a lê-lo. No grego original, identifiquei conexões que não estavam refletidas com muita clareza nas traduções em inglês e latim.

Para encurtar a história, eu encontrei ali uma solução que não figurara em nenhum outro comentário até o momento. Terminei minha tese e a defendi com sucesso. Escrevi sobre minhas descobertas e publiquei tudo num importante periódico acadêmico.

Doze anos depois daquela noite fatídica, mas cheia de fé, eu estava numa conferência profissional (o encontro anual da Sociedade de Literatura Bíblica) quando um pesquisador cujo trabalho eu respeito muito me puxou para um canto e disse: «Qual é a sensação de ter acertado na mosca?».

Eu não fazia a menor ideia do que ele estava falando.

«Qual é a sensação», prosseguiu ele, «de ter encontrado uma interpretação que passou batida por gerações?».

Foi aí que compreendi o que ele queria dizer, e meus olhos se encheram de lágrimas.

Contei-lhe então a história daquela velha noite, quando havia um muro alto demais para ser escalado. Contei-lhe sobre minha caminhada até a Cruz. Queria que ele conhecesse o caminho, caso um dia também se visse diante de um muro.

É isso o que desejo também para você, e essa é a razão pela qual escrevi este livro.

Parte I

A vida começa

1. Água benta

Começamos na água.

É assim que o livro do Gênesis poeticamente retrata a criação do universo: *As trevas cobriam o abismo e o Espírito de Deus pairava sobre as águas. [...] Deus disse: «Faça-se um firmamento entre as águas, e separe ele umas das outras»* (Gn 1, 2.6).

Aquilo que ocorreu em escala cósmica também ocorre no princípio de cada pessoa: assumimos nossa forma humana na bolsa amniótica, uma bolsa cheia de líquido, dentro do útero materno. Na ordem da natureza, o nascimento se dá quando a bolsa da mãe se rompe.

Também é na água que começa nossa visita às igrejas: colocamos a mão no depositário de água benta e nos benzemos.

A oração cristã traz essa marca d'água desde os primeiros dias da Igreja. No fim do século II, um teólogo do norte da África chamado Tertuliano mencionou o costume simbólico de limpar as mãos antes de erguê-las em oração[1]. Tratava-se de um costume judeu anterior à vinda de Nosso Senhor, e é possível que São Paulo se referisse a ele quando escreveu a Timóteo: *Quero, pois, que os homens orem em todo lugar, levantando as mãos puras* (1 Tm 2, 8). Escrevendo por volta de 320 d. C., o

---

(1) Tertuliano, *Da oração*, 13.

historiador Eusébio fala sobre uma igreja em Tiro que tinha fontes de água para os fiéis purificarem as mãos ao entrar.

Nós usamos água como marco de nossos começos porque Deus também o fez. Há amplos indícios disso tanto na natureza quanto nas Escrituras. Quando o mundo se perdia no pecado e precisava se limpar e renascer, Deus lhe enviou um grande dilúvio, e foi a partir desse dilúvio que a família de Noé encontrou vida nova. Quando Israel saiu da escravidão como nação unificada, precisou primeiro passar pelas águas do Mar Vermelho. Quando o povo escolhido estabeleceu seus lugares de oração – primeiro, o tabernáculo; depois, o Templo –, foram construídas pias de bronze para que as pessoas lavassem as mãos ao entrar.

São Tomás de Aquino ensinou que a água é um sacramento natural desde a aurora da Criação. Na era da natureza (de Adão até os patriarcas), servia para refrescar o calor e limpar a humanidade. Na era da Lei (o tempo de Moisés), era fonte de renascimento espiritual para Israel, à medida que a nação começava sua viagem rumo à Terra Prometida. Com Jesus, no entanto, veio a era da graça[2]: daí em diante, a água recebeu o poder divino do Verbo que se fez carne. Embora os bebês sempre tivessem nascido por meio da «água», foi a partir dali que homens e mulheres adultos passaram a ter a possibilidade de *renascer da água e do Espírito* (Jo 3, 5). Os Padres da Igreja ensinaram que Jesus, ao submergir nas águas do Rio Jordão, santificou as águas do mundo todo: tornou-as coisa viva e vivificante (cf. Jo 4, 10-14). Jesus as transformou em fonte de regeneração, alívio e purificação *sobrenatural*.

Enquanto estamos na terra, conhecemos o que é espiritual por meio de sinais sensíveis. Somente na glória veremos as coisas divinas tal como elas são, sem os véus sacramentais. De acordo com São Tomás, a água, em última análise, «significa a graça

---

(2) São Tomás de Aquino, *Comentário sobre o Evangelho de São João*, 443.

do Espírito Santo [...]. Pois o Espírito Santo é a fonte infalível da qual fluem todos os dons da graça»[3]. Isso é confirmado pelo livro do Apocalipse, que apresenta a graça do Espírito qual *um rio de água viva resplandecente como cristal de rocha, saindo do trono de Deus e do Cordeiro* (Ap 22, 1).

No decorrer da história e em todo o cosmos, Deus fala com uma voz semelhante ao *ruído de muitas águas* (Ap 1, 15). Sempre que nos benzemos com água benta, tomamos como nossos os sentidos sagrados da água e os reivindicamos como patrimônio que nos pertence.

Caríssimos, desde agora somos filhos de Deus, nascidos da água e do Espírito. E todo aquele que nEle tem esta esperança torna-se puro, como Ele é puro (1 Jo 3, 2-3).

Esse gesto tão simples, que até as crianças mais pequeninas adoram repetir, é lembrete e renovação do nosso batismo. É também alívio que atenua a opressão do mal. Santa Teresa de Ávila escreveu que «não há coisa de que [os demônios] fujam mais para não voltar»[4].

A água benta é água comum que um sacerdote abençoou para uso devocional. É com ela que nos benzemos na igreja. Algumas igrejas oferecem também um reservatório de onde os paroquianos podem pegar um pouco de água para levar consigo. Há famílias católicas que colocam um depositário na entrada de todos os quartos da casa. Eu, por minha vez, tenho sempre uma garrafinha de água benta no escritório.

Tudo o que temos de fazer é espirrar algumas gotas em nós mesmos. É costume pronunciar também uma bênção em nome da Santíssima Trindade e fazer o sinal da cruz com nossa mão direita.

E por enquanto é só. Guardemos o resto para o próximo capítulo.

---

(3) *Idem*, 577.
(4) Santa Teresa de Ávila, *Livro da vida*, 31, 4.

Medite no coração

Rei e Senhor de todas as coisas, criador do mundo, livremente concedeste a salvação a toda natureza criada mediante a vinda de teu Filho Unigênito, Jesus Cristo. Pela vida do teu Verbo inefável, redimiste tudo o que criaste. Volta para nós teu olhar desde o céu e contempla estas águas, enchendo-as do Espírito Santo. Que teu Verbo inefável nelas esteja, que transforme sua energia para que, repletas de tua graça, deem fruto. [...] Do mesmo modo como teu Filho Unigênito, descendo às águas do Jordão, fê-las santas, que também agora desça Ele sobre estas águas e as faça santas e espirituais[5].

– Bênção da água, do sacramentário de São Serapião de Tmuis (século IV)

---

(5) Adaptado de *Bishop Sarapion's Prayer-Book*, SPCK, Londres, 1899, págs. 68-69.

2. O sinal da cruz

O que a água é para os elementos, o sinal da cruz é para os gestos. O Cardeal Joseph Ratzinger (que mais tarde se tornaria Papa Bento XVI) certa feita escreveu: «O gesto fundamental da oração do cristão é, e permanece, o sinal da cruz»[1].

Essa é a oração mais comum dos cristãos, e tem sido assim desde a fundação da Igreja. No Novo Testamento, São Paulo fala da cruz em quase todas as suas cartas: *Quanto a mim, não pretendo, jamais, gloriar-me, a não ser na Cruz de Nosso Senhor Jesus Cristo, pela qual o mundo está crucificado para mim e eu para o mundo* (Gl 6, 14).

Poder-se-ia encher um livro inteiro só com os testemunhos dos primeiros cristãos sobre essa prática. Tratava-se da devoção predileta deles, uma vez que não exigia nenhum conhecimento ou habilidade especial. Para fazer o sinal da cruz, não era necessário nem saber ler, nem ter dinheiro para comprar um manual de instruções. Bastava ter um dedo. Os mártires faziam o sinal da cruz quando eram conduzidos para a morte. Mesmo o imperador Juliano, que abandonou o cristianismo, recorria a ele quando se sentia oprimido pelos demônios.

---

(1) Joseph Ratzinger, *Introdução ao espírito da liturgia*, Edições Loyola, São Paulo, 2015, pág. 147.

O gesto é mencionado por toda parte porque era repetido por toda parte. No fim do século II, Tertuliano declarou:

> Em cada caminhada e cada movimento, em cada chegada e partida, quando calçamos os sapatos, quando tomamos banho, quando estamos à mesa, quando acendemos nossas velas, quando nos deitamos ou nos sentamos, quando nos ocupamos de toda e qualquer tarefa, marcamos nossa testa com o sinal da cruz[2].

Tertuliano enaltecia sua esposa pelas virtudes que demonstrava, por sua beleza e por suas roupas, mas mais ainda porque ela fazia o sinal da cruz sobre o corpo e sobre a cama antes de dormir[3].

Os relatos mais antigos que temos hoje sugerem que os cristãos usavam o polegar para traçar a cruz sobre a testa. Eles repetiam o gesto sobre certos itens, entre eles a comida, e sobre os elementos sacramentais: pão, vinho, óleo e água.

Ao longo dos séculos, os fiéis desenvolveram muitas formas de fazer o sinal da cruz. Nas Igrejas ocidentais, abençoamo-nos com a mão direita aberta, tocando a testa com a ponta dos dedos, depois nosso peito, em seguida o ombro esquerdo e, por fim, o ombro direito. Há quem interprete os cinco dedos abertos como representação das cinco chagas de Cristo.

Na Missa, logo antes da proclamação do Evangelho, recorremos a outra forma do sinal, trançando uma cruz com o polegar sobre a testa, outra sobre os lábios e uma terceira sobre o coração. Quando o padre ou o diácono repetem esse gesto, às vezes é possível ouvi-los dizer: «Que o Senhor esteja em meu coração e em meus lábios, a fim de que eu anuncie digna e

---

(2) Tertuliano, *A coroa*, 3.
(3) Tertuliano, *À esposa*, 2, 5.

competentemente o seu Evangelho». Os fiéis que usam esse sinal em suas devoções pessoais geralmente o fazem repetindo a prece latina que diz: *Per signum crucis de inimicis nostris libera nos Deus noster* («Pelo sinal da Santa Cruz, livrai-nos Deus, Nosso Senhor, dos nossos inimigos»).

Os cristãos das igrejas orientais têm sua própria forma de fazer o sinal. A maneira como posicionam os dedos praticamente transforma a mão num catecismo. Eles juntam as pontas do polegar, do dedo indicador e do médio. Os três dedos representam a Trindade em unidade. Os dois dedos restantes (anelar e mínimo) ficam juntos, pressionados contra a palma da mão, simbolizando a união hipostática: a unidade das naturezas humana e divina de Jesus.

Tanto no Oriente quanto no Ocidente, há pessoas com o costume de beijar os dedos depois de concluir o sinal da cruz.

Ao redor do mundo e ao longo da história, podemos observar inúmeras variações dessa prática e de suas interpretações. Uma das minhas explicações favoritas vem do meu padroeiro, São Francisco de Sales:

> Primeiro, levamos a mão à testa, dizendo: «Em nome do Pai». Isso significa que o Pai é a Primeira Pessoa da Santíssima Trindade; o Filho é seu unigênito, e o Espírito Santo procede dEle. Em seguida, dizemos: «do Filho», e baixamos a mão à altura do peito para expressar que o Filho procede do Pai e que o Pai enviou seu Filho ao seio da Virgem Maria. Depois, a mão é levada do ombro esquerdo ao direito, enquanto dizemos: «e do Espírito Santo»; desse modo, simbolizamos que o Espírito Santo, como Terceira Pessoa da Santíssima Trindade, procede do Pai e do Filho e que é o amor que une a ambos – e nós, por meio dessa graça, participamos dos frutos da Paixão. Por conseguinte, o sinal da cruz é uma breve declaração da nossa fé nos três grandes mistérios: da nossa fé na Santíssima Trindade, na Paixão de Cristo e no perdão dos pecados, que nos permite

passar do lado esquerdo, o da maldição, para o direito, o da bênção[4].

A Trindade e a Cruz: não é mera coincidência devocional que ambos esses temas convirjam nas palavras e gestos da prece mais popular e fundamental da Igreja.

A Cruz é uma imagem temporal da vida eterna da Trindade. Nela, Jesus Cristo se entregou por inteiro; não reteve nada. Trata-se da entrega do Filho pelo Pai, do Pai pelo Filho. Cada uma delas perfaz um dom pleno e amoroso de vida, e esse dom, essa vida e esse amor são o Espírito Santo. O sinal desse amor no mundo é o sinal da Cruz.

Ao fim de seu combate, Jesus entregou seu Espírito (cf. Jo 19, 30) pronunciando a palavra «consumado» – ou seja, terminado, cumprido. Quando fazemos o sinal da cruz, nós nos correspondemos com essa graça, recebemos o amor que Ele nos dá. Nós tomamos para nós esse Espírito na medida em que tomamos a Cruz de Cristo. Nós testemunhamos a entrega amorosa de Jesus e dizemos «Amém!». Nós acolhemos essa vida como nossa.

Fazer o sinal da cruz não é pouca coisa. Trata-se de algo que devia nos deixar sem fôlego – mas apenas na medida em que possamos ser preenchidos por outro tipo de sopro, por outro tipo de fôlego: o Espírito de Deus.

Essa é a vida que recebemos no batismo, quando fomos marcados com o sinal da cruz e salvos dos nossos pecados. Os primeiros cristãos comparavam isso ao sinal colocado em Caim (cf. Gn 4, 15), por meio do qual ele ficou protegido da punição que merecia. Eles enxergaram um prenúncio do sinal da cruz na marca de sangue posta no batente das portas por ocasião da Páscoa Judaica – marca esta que salvou os primogênitos dos israelitas (cf. Ex 12, 7). Eles enxergaram o sinal, de maneira ainda mais vívida, no oráculo do profeta Ezequiel, que viu os

---

(4) São Francisco de Sales, *Defesa do estandarte da Santa Cruz*, 3, 1.

justos em Jerusalém serem salvos por causa de uma *marca na fronte* (Ez 9, 4). Que marca era essa? De acordo com os rabinos de outrora, tratava-se do *tau*, última letra do alfabeto hebraico, que em tempos remotos tinha o formato da cruz. Já no Novo Testamento, no livro do Apocalipse, São João teve uma visão dos homens de fé que seriam marcados na fronte por esse sinal (cf. Ap 7, 2-4).

O costume foi sendo passado de geração em geração e estará sempre entre nós. Em seu revolucionário trabalho sobre a Sagrada Tradição, São Basílio Magno o identificou como marco da fé apostólica. O sinal é honrado inclusive nos céus, e mesmo pelos maiores dos santos[5]. Quando a Virgem Maria apareceu pela primeira vez à pequena Bernadette Soubirous, na cidade de Lourdes, França, em 1858, ela fez o sinal da cruz antes mesmo de pronunciar sua primeira palavra.

Esse gesto tão simples é a mais rica das profissões de fé. Ele proclama a Trindade, a Encarnação e a nossa Redenção. Nas palavras do Cardeal Ratzinger, ele «representa e renova» o batismo[6]. Já como papa Bento XVI, ele acrescentou: «Fazer o sinal da Cruz [...] significa pronunciar um sim visível e público Àquele que morreu por nós e que ressuscitou, ao Deus que na humildade e debilidade do seu amor é o Onipotente, mais vigoroso que todo o poder e inteligência do mundo»[7].

Medite no coração

Fazemos o sinal da cruz; façamo-lo bem. Não um sinal precipitado, disforme, que ninguém sabe o que significa, mas um sinal da cruz bem feito, lento, amplo, da fronte até o pei-

---

(5) São Basílio Magno, *Sobre o Espírito Santo*, 27, 66.
(6) Joseph Ratzinger, *Introdução ao espírito da liturgia*, pág. 149.
(7) Papa Bento XVI, Ângelus, 11 de setembro de 2005.

to, de um ombro ao outro. Sentimos como nos envolve completamente?

Concentremo-nos por inteiro. Concentremos todos os nossos pensamentos e todas as nossas disposições neste sinal, enquanto o traçamos. Será então que o sentiremos: sentiremos que nos abraça o corpo e a alma, que nos recolhe, consagra e santifica. [...]

Pensemos nisto a cada vez que fizermos o sinal da cruz. É o sinal mais santo que há, o sinal de Cristo. Façamo-lo bem: lentamente, amplamente, com esmero. Pois este sinal envolve todo o nosso ser, figura e alma, os nossos pensamentos e vontade, os nossos sentidos e espírito, as nossas atividades, e nele tudo se fortalece, define e consagra pela força de Cristo, em nome do Deus uno e trino[8].

– Romano Guardini, século XX

---

(8) Romano Guardini, *Os sinais sagrados*, 2ª ed., Quadrante, São Paulo, 1995, págs. 3-4.

3. Batismo

É provável que você já tenha visto um desses cartões comemorativos que dizem: «A vida começa aos quarenta» (ou aos trinta, ou aos cinquenta).

Não dê bola para eles. A vida começa no batismo, que é o «sinal de vida» mais elementar. O próprio Jesus referiu-se a ele como uma obrigação inescapável: *quem não renascer da água e do Espírito não poderá entrar no Reino de Deus* (Jo 3, 5). O batismo foi também um elemento-chave de sua última determinação terrena: *Ide, pois, e ensinai a todas as nações; batizai-as em nome do Pai, do Filho e do Espírito Santo* (Mt 28, 19). Quando os cristãos recém-convertidos perguntaram a São Pedro, o primeiro papa, o que deviam fazer, ele respondeu sem titubear: *Arrependei-vos e cada um de vós seja batizado* (At 2, 38).

Do mesmo modo como a vida natural não pode começar sem o nascimento, também a vida sobrenatural não pode começar sem o batismo.

Antes do batismo, talvez até gozemos de um coração pulsante e uma mente vívida. Talvez tenhamos um emprego importante e muitos amigos, de modo que ninguém jamais ousaria nos mandar «fazer alguma coisa da vida». Todavia, enquanto não formos batizados, não teremos feito o principal e não possuiremos o tipo de vida a que Jesus se referia ao dizer: *Eu sou o caminho, a verdade e a vida; ninguém vem ao Pai senão por mim* (Jo 14, 6).

Essa declaração é curiosa, pois as pessoas podem, sim, ir a Deus sem ser por meio de Jesus. Até os pagãos podem fazê-lo. É o que diz São Paulo na Carta aos Romanos: *o que se pode conhecer de Deus eles o leem em si mesmos, pois Deus lho revelou com evidência* (Rm 1, 19). No entanto, há aí uma diferença: essas pessoas não podem conhecer a Deus como *Pai*. E é essa a essência do cristianismo.

Para nós, é fácil falar da paternidade de Deus como se ela não fosse nada de mais. O tema já virou um clichê meio sem graça: Deus é nosso Pai e todos somos irmãos e irmãs; portanto, devemos viver em paz uns com os outros. Esquecemo-nos de que, um dia, essa constatação foi suficiente para condenar um homem à pena de morte: *Por esta razão os judeus, com maior ardor, procuravam tirar-lhe a vida, porque [...] afirmava ainda que Deus era seu Pai* (Jo 5, 18). Mesmo hoje os muçulmanos consideram uma blasfêmia atribuir paternidade a Deus.

Quer sejam adotados, quer sejam biológicos, os filhos necessariamente partilham da natureza dos pais. Posso sentir grande carinho por meus animais de estimação, mas não tenho como fazer com que sejam meus filhos, uma vez que não possuem natureza humana.

Do mesmo modo, como bem observaram os contemporâneos de Jesus, quando alguém se refere a Deus como «Pai» está se fazendo *igual a Deus* (Jo 5, 18), pois pai e filho devem partilhar da mesma natureza.

A paternidade de Deus é a verdade que jaz no âmago do Evangelho de salvação anunciado por Jesus. Quando nascemos de novo pelo batismo, nossa filiação não é humana, mas celeste:

> *Considerai com que amor nos amou o Pai, para que sejamos chamados filhos de Deus. E nós o somos de fato. [...] Desde agora somos filhos de Deus, mas não se manifestou ainda o que*

havemos de ser. Sabemos que, quando isto se manifestar, seremos semelhantes a Deus (1 Jo 3, 1-2).

O que tudo isso quer dizer?

Desde os tempos mais remotos, os teólogos descrevem a salvação como uma «admirável permuta». Em Jesus, Deus se tornou o que somos para que pudéssemos nos tornar o que Ele é. O Filho de Deus se fez Filho do Homem para que os filhos dos homens pudessem se fazer filhos de Deus. Por meio do batismo, tornamo-nos *participantes da natureza divina* (2 Pe 1, 4). Somos batizados *em* Cristo para que possamos viver *nEle*. Os primeiros cristãos ousaram chamar esse processo de *divinização* ou *deificação*. A exemplo do nascimento natural, trata-se de um dom – algo que não poderíamos jamais alcançar ou receber por nós mesmos. Tornamo-nos, pela graça, aquilo que Deus é por natureza. Foi por isso que Deus se fez homem, e foi por isso que Ele nos deu o batismo.

Foi essa a intenção de Deus desde o início dos tempos. Os apóstolos viram as águas do batismo amplamente prefiguradas no Antigo Testamento, como se viu no Capítulo 1. São Paulo, no entanto, também enxergou o batismo como plena realização da antiga prática hebraica da circuncisão dos recém-nascidos:

> *Nele também fostes circuncidados com circuncisão não feita por mão de homem, mas com a circuncisão de Cristo, que consiste no despojamento do nosso ser carnal. Sepultados com Ele no batismo, com Ele também ressuscitastes por vossa fé no poder de Deus* (Cl 2, 11-12).

A circuncisão das crianças, portanto, prefigurava o batismo daqueles que seriam «recém-nascidos» em Cristo. O antigo rito marcava o nascimento de uma criança como filho de Abraão; o novo marca o nascimento, ainda mais grandioso, de um filho de Deus.

Para ser mais preciso: com a circuncisão, o menino era acolhido na *aliança* de Deus com a família de Abraão. Aliança é uma ação legal baseada num juramento; seu propósito está em criar um vínculo familiar entre pessoas que até então não tinham relações de parentesco. O casamento é uma aliança. A adoção é uma aliança. Deus fez uma aliança com Abraão, de modo que os descendentes de Abraão por meio de Isaac seriam a família de Deus na terra.

A circuncisão era o sinal excelso da Antiga Aliança (cf. At 7, 8). Deus acolhia os recém-nascidos em Israel por meio da circuncisão ritual, não obstante os adultos também devessem se submeter ao doloroso rito se quisessem se converter ao judaísmo.

Desde o início de sua história, a Igreja recebe crianças e adultos (pessoas, enfim, de todas as idades) na família de Deus por meio do batismo, uma circuncisão que não é *feita por mão de homem*.

A circuncisão era dolorida e tinha um custo. O pagamento era realizado à vista, com sangue, e marcava a entrega de uma vida inteira. Ainda assim, valia a pena fazer parte da família de Deus.

Com o batismo, as recompensas são ainda maiores, mas o custo também é mais alto. Santo Ambrósio de Milão, escrevendo no século IV, coloca as coisas nos seguintes termos: um homem que fosse circuncidado tinha de resistir à dor em uma parte do corpo, e apenas por um curto período de tempo. Já o batismo, dizia ele, é «o sacramento da Cruz». Trate-se de crianças ou adultos, os cristãos que foram *batizados em Cristo Jesus* foram *batizados na sua morte* (Rm 6, 3). Essa morte significa vida nova para nós; somos *nova criatura* (2 Cor 5, 17; Gl 6, 15).

A salvação não nos exime do sofrimento. Cristo é o *autor da nossa fé* precisamente por ter sofrido (Heb 2, 10; 12, 2). O autor não é o último a desbravar um território novo, mas o primeiro. Ele foi na nossa frente para servir de modelo – para que O imitássemos e para possibilitar que O seguíssemos. Vivemos a vida de filhos de Deus quando vivemos a vida de Cristo, quando vivemos como Ele viveu, quando sofremos como Ele sofreu. Pelo poder do nosso batismo, podemos viver sua vida por toda a eternidade no céu. Para nós, porém, e a exemplo dEle, o começo é aqui e agora. Pelo batismo nos conformamos *à imagem de seu Filho* (Rm 8, 29), isto é, à imagem do Filho de Deus. Todos nós estamos, neste momento e neste lugar, sendo *transformados nesta mesma imagem, sempre mais resplandecentes* (2 Cor 3, 18). Isso não acontece *apesar* do nosso sofrimento, e sim *por meio* do nosso sofrimento – o qual, em virtude da «admirável permuta», opera em nós com poder divino e redentor.

Não devemos nos deixar ludibriar pelos clichês que dizem respeito à paternidade de Deus. A doutrina do batismo é tão rica, radical e revolucionária que causou perplexidade a Nicodemos, talvez o mais instruído e inteligente dos amigos de Jesus (cf. Jo 3, 1-15).

Num longo discurso, Jesus disse a Nicodemos que ele precisaria da graça do batismo para compreender o novo nascimento batismal. A Igreja primitiva acompanhou o Senhor e só transmitia ao fiel a doutrina do batismo *depois* que ele havia sido batizado. Somente assim ele seria capaz de se aproximar dos mistérios – e também vivê-los, pois o batismo tinha (e tem) consequências profundas na vida moral do cristão.

Nós, afinal, que fomos batizados, vivemos *em Jesus Cristo* (Rm 8, 1), e Jesus Cristo vive em nós (cf. Gl 2, 20). Nós somos filhos e filhas no Filho eterno de Deus. Embora tenha sido *de condição divina* (Fl 2, 6), Cristo aniquilou-se a si mesmo para assumir a condição humana (cf. Fl 2, 7) – e o fez, conforme dissemos acima, para que estivéssemos nEle e Ele estivesse em nós.

> *Portanto, vós também considerai-vos mortos ao pecado, porém vivos para Deus, em Cristo Jesus. Não reine, pois, o pecado em vosso corpo mortal, de modo que obedeçais aos seus apetites. Nem ofereçais os vossos membros ao pecado, como instrumentos do mal. Oferecei-vos a Deus, como vivos, salvos da morte,*

para que os vossos membros sejam instrumentos do bem ao seu serviço. O pecado já não vos dominará, porque agora não estais mais sob a lei, e sim sob a graça (Rm 6, 11-14).

O batismo não é uma mera cerimônia, um rito de passagem. Trata-se de nossa entrada no vínculo da Nova Aliança – numa nova família, numa nova vida, num novo nascimento e numa nova criação. O teólogo Romano Guardini diz que «somos cristãos por causa de uma aliança». Ao mesmo tempo, lamenta: «É estranho que a ideia da aliança tenha sido tão apagada da consciência cristã. Nós a mencionamos, é verdade, mas parece que perdeu para nós seu significado». Devemos ter o cuidado de compreender o batismo e de nunca subestimá--lo – e isso vale não somente para o nosso, mas também para o batismo dos nossos amigos e, ainda mais especialmente, dos nossos filhos e netos (eis aí uma grande e doce responsabilidade). Você sabe qual é a data do seu batismo do mesmo modo como sabe qual é a data do seu aniversário? Porventura a comemora de alguma maneira especial?

Medite no coração

É mesmo a pensar neste aspecto do dom batismal que o apóstolo Pedro irrompe no canto:

Bendito seja Deus e Pai de Nosso Senhor Jesus Cristo, que na sua grande misericórdia nos regenerou pela ressurreição de Jesus Cristo dentre os mortos para uma esperança viva, para uma herança incorruptível, que não pode contaminar-se, e imarcescível (1 Pe 1, 3-4).

Para Pedro, os cristãos são aqueles que foram *regenerados, não de uma semente corruptível, mas incorruptível: pela palavra de Deus viva e eterna* (1 Pe 1, 23).

Com o santo Batismo tornamo-nos filhos de Deus no seu Unigênito Filho, Jesus Cristo. Ao sair das águas da sagrada fonte, todo cristão ouve de novo aquela voz que um dia se fez ouvir nas margens do rio Jordão: *Tu és o meu Filho muito amado, em Ti pus todo o meu enlevo* (Lc 3, 22), e compreende ter sido associado ao Filho predileto, tornando-se filho de adoção (cf. Gl 4, 4-7) e irmão de Cristo. Realiza-se, assim, na história de cada um, o desígnio eterno do Pai [...].

É a mesma advertência de São Máximo, bispo de Turim: «Considerai a honra que vos foi feita neste mistério!». Todos os batizados são convidados a ouvir de novo as palavras de Santo Agostinho: «Alegremo-nos e agradeçamos: tornamo-nos não só cristãos, mas Cristo! [...] Maravilhai-vos e alegrai-vos: Cristo nos tornamos»[1].

– São João Paulo II, século XX

---

(1) São João Paulo II, Exortação apostólica *Christifideles laici,* nn. 11 e 17.

4. A Missa

Muito antes de os livros do Novo Testamento serem escritos – antes da construção de qualquer igreja, antes de o primeiro discípulo vir a ser martirizado pela fé –, a Missa já era o centro da vida da Igreja.

São Lucas resume isso nos Atos dos Apóstolos: *Perseveravam eles na doutrina dos apóstolos, na reunião em comum, na fração do pão e nas orações* (At 2, 42). Nesse curto trecho, ele consegue transmitir uma grande quantidade de detalhes. Os primeiros cristãos eram eucarísticos por natureza: juntavam-se *na fração do pão e nas orações*. Eram formados pela Palavra de Deus, a *doutrina dos apóstolos*. Quando se encontravam como Igreja, sua adoração culminava numa *reunião em comum* – a palavra grega usada pelo evangelista é *koinonia*: em português, «comunhão».

A Missa estava no centro da vida dos discípulos de Jesus, e desde então tem sido assim. Mesmo hoje, é nela que experimentamos o ensinamento apostólico e a comunhão, a fração do pão e a oração.

São Lucas se concentra sobretudo nos aspectos exteriores, os quais são, por si só, bastante majestosos. A Missa, no entanto, vai muito além deles.

Os primeiros cristãos eram judeus e, como tais, viviam imersos na cultura judaica, alicerçados nas formas judaicas de adoração. Eles viam a Eucaristia como realização plena de todos os ritos da Antiga Aliança. O sacrifício de Jesus tornara obsoletas as regras cerimoniais de Israel, mas não havia abolido por completo a adoração ritual. O próprio Jesus estabeleceu ritos para a Nova Aliança: o batismo (cf. Mt 28, 19), por exemplo, ou ainda a absolvição sacramental (cf. Jo 20, 22-23). A solenidade mais excelsa, no entanto, Ele reservou para a Eucaristia (cf. Lc 22, 20).

A liturgia da Nova Aliança fora prefigurada nos rituais da Antiga. Os Evangelhos traçam uma conexão explícita entre a Missa e a refeição da páscoa judaica (cf. Lc 22, 15). A Carta aos Hebreus vê a Missa à luz dos sacrifícios animais no Templo (Heb 13, 10). Muitos estudiosos modernos notaram paralelos entre a Missa e o sacrifício mais comumente oferecido nos tempos de Jesus: o sacrifício de ação de graças (em hebraico, *todah*). A *todah* era uma refeição sacrificial composta de pão e vinho e compartilhada entre amigos. Era oferecida em agradecimento pela libertação propiciada por Deus. Segundo um preceito transmitido por rabinos ancestrais e registrado no Talmude, com a vinda do Messias «todos os sacrifícios cessarão, com exceção da *todah*. Esta nunca cessará, por toda a eternidade». Quando os judeus traduziram suas Escrituras para o grego, a palavra *todah* passou a ser *eucharistia* – que é de onde nossa «eucaristia» vem.

Todas as tradições de culto em Israel eram como rios caudalosos que seguiam rumo ao oceano infinito de adoração que Jesus estabeleceu para a Igreja. Ali, em vez de se perderem, eles encontravam sua plenitude.

Muitos anos antes de tornar-se Papa, o Cardeal Joseph Ratzinger escreveu sobre outra ideia retirada do ritual ancestral judaico. *Chaburah* era a palavra empregada para descrever a amizade compartilhada pelos membros da família que Deus formara a partir da Aliança. As pessoas compartilhavam a *chaburah* uns com os outros. Faziam as refeições da *chaburah* juntos. Nas noites do *Shabat* ou dos dias santos, os rabinos costumavam compartilhar essa ceia com seus discípulos. Quando os judeus traduziram a palavra para o grego, ela passou a ser *koinonia*: comunhão. A aliança divina deu origem a um forte vínculo de amizade entre os membros do povo de Deus.

No entanto, os judeus não chegavam a ver a *chaburah* entre Deus e os homens. Para eles, essa comunhão era impossível. A ideia mesma seria uma afronta à transcendência de Deus, que é, afinal de contas, infinito, perfeito e sumamente justo. Nós, por outro lado, somos limitados, imperfeitos e pecadores. Como partes tão diferentes poderiam desfrutar, juntas, dessa comunhão, sendo uma delas tão indigna de tal honra?

Foi o próprio Deus quem ignorou o risco de profanação. Por meio da Nova Aliança, estabeleceu, por suas próprias mãos, a comunhão com seu povo – todos nós, cada um de nós, membros da Igreja. Essa pode ser a razão a explicar por que a linguagem da «aliança», tão frequente no Antigo Testamento, aparece pouco no Novo: ela é substituída pela linguagem da «comunhão». A Missa, disse Jesus, *é a Nova Aliança no meu sangue* (1 Cor 11, 25). Com essa Nova Aliança, no entanto, Ele elevou o nível da coisa: deu-nos a Missa como *a comunhão [koinonia] do sangue de Cristo* (1 Cor 10, 16).

Os apóstolos deixam claro que a salvação de Jesus pôs fim não apenas às fronteiras entre Israel e as outras nações, mas também às que separavam Deus do mundo. De fato, com ela a irmandade entre todos os povos – tanto judeus quanto gentios – passou a ser possível. A família de Deus finalmente seria universal.

A partir daí, também Deus passou a partilhar da comunhão com seu povo. Nossa vida em Cristo é nossa partilha, nossa participação, nossa comunhão na vida de Deus. Ela finalmente inaugura a *chaburah* entre Deus e a humanidade.

Em tempos remotos, Israel via sua liturgia terrena como imitação divinamente inspirada do culto celeste. Aquilo que os sacerdotes faziam no templo era uma imitação terrena do que os anjos faziam no céu. No entanto, tratava-se ainda de uma imitação – de uma *sombra*.

Ao assumir carne humana, o Filho eterno de Deus trouxe o céu para a terra. Doravante, o povo de Deus não precisava mais adorar em imitação angélica. A liturgia da Nova Aliança é presidida pelo próprio Cristo, e nós não ficamos apenas imitando os anjos; antes, participamos com eles do culto. Por meio da Missa – e em todas as Missas –, dá-se a *comunhão* entre o céu e a terra.

Essa realidade pode ser contemplada de maneira mais vívida no livro do Apocalipse, em que a Igreja terrena se reúne com os anjos e os santos no céu, junto ao altar. Ali ouvimos o «Santo, Santo, Santo», o «Cordeiro de Deus», o «Amém», o «Aleluia», bem como muitos outros cânticos que nos são familiares; ali, cálices são depositados e adoradores comem o «maná escondido». Não é por acaso, penso eu, que o Apocalipse se divide em duas partes: uma formada por leituras e outra formada pela *ceia das núpcias do Cordeiro* (Ap 19, 9). Essa estrutura corresponde à mais antiga ordem de adoração divina.

Com efeito, a liturgia cristã ainda segue o padrão básico da adoração do Antigo Testamento: uma cerimônia que inclui tanto a leitura da Palavra de Deus quanto a oferta e o sacrifício. O próprio Jesus seguiu esse modelo quando apareceu aos discípulos no caminho para Emaús: *E, começando por Moisés, percorrendo todos os profetas, explicava-lhes o que dEle se achava dito em todas as Escrituras*; e eles o reconheceram *ao partir o pão* (Lc 24, 27.35). Na Missa, ouvimos leituras do Novo e do Antigo Testamento e contemplamos toda a história da salvação à luz de sua realização plena e última – à luz de Cristo. Durante a Missa, na partilha do pão, até hoje podemos conhecer Jesus como presença real.

A Nova Aliança é de fato algo novo, grandioso e cheio de glória, mas não devemos nos esquecer de sua continuidade em relação ao passado. A adoração ritual de Israel era estruturada para recordar a Aliança (por meio das leituras) e, em seguida, renová-la (por meio do sacrifício). O culto cristão também recorda os grandes feitos de Deus ao longo da história, com ênfase na Paixão salvífica e na glorificação de Cristo. A Eucaristia cristã continua sendo tanto uma renovação da Aliança quanto uma ação de graças a Deus por sua constante presença entre seu povo.

Essa presença, agora, é uma comunhão de verdade. Isso causou espanto entre os primeiros cristãos, que proclamavam que a Missa era o céu na terra e que o altar terreno era o mesmo que o altar celeste. A Missa era a vinda do Cristo que todos esperamos. Deus vem a nós em comunhão verdadeira, e a «admirável permuta» assume uma dimensão de carne e sangue. Agora, somos filhos de Deus, e *os filhos participam da mesma natureza, da mesma carne e do sangue* (Heb 2, 14).

Isso não significa que os paroquianos que frequentam a Missa conosco se parecerão com os querubins pintados por Rafael. Por vezes, um deles estará com um bebê chorando no colo, com aquela fralda cheirando meio mal... Tampouco significa que o coral da Paróquia de Santa Dimpna acertará o tom da música, ou ainda que a homilia do padre sempre fisgará nossa atenção.

Antes, tudo isso reflete o que a Encarnação sempre significou: que *o Verbo se fez carne e habitou entre nós* (Jo 1, 14). *Ele se aniquilou a si mesmo* e *se humilhou* (Fl 2, 7-8). *Eis aqui o tabernáculo de Deus com os homens. Habitará com eles e serão o seu povo, e Deus mesmo estará com eles* (Ap 21, 3).

Na Missa, Ele é *Deus conosco* (Mt 1, 23) ali mesmo onde estamos, exatamente como somos, embora nos ame demais para permitir que fiquemos para sempre nesse estado. Por meio da Eucaristia, Ele nos transforma naquilo que Ele é; de glória em glória, desde o lugar onde se encontra, Ele nos transforma.

Medite no coração

Devemos, aqui, aplicar nosso intelecto com zelo e meditar a sabedoria apostólica; pois ele novamente revela a mudança no sacerdócio, o qual celebra *a imagem, a sombra das realidades celestiais* (Heb 8, 5).

Que realidades celestiais são essas de que ele fala aqui? As realidades espirituais. Pois, embora sejam consumadas na terra, são dignas dos céus. Ora, se Nosso Senhor Jesus Cristo é morto [em sacrifício], se o Espírito está com Ele, se Aquele que está sentado à direita do Pai está aqui conosco, se os homens se tornam filhos pela água, se são concidadãos daqueles que estão nos céus, se podemos dizer que o céu é nosso país, nossa cidade e nossa pátria, se somos estrangeiros em relação às coisas daqui, então o que seriam todas essas coisas senão realidades celestiais?

Pois bem! Nossos hinos não são celestiais? Não proclamamos (nós, que estamos aqui embaixo), juntamente com o coral divino de poderes incorpóreos, o mesmo que eles cantam lá no alto? Não é verdade que o altar é também celestial? Como? Ora, ele nada tem de carnal; são as realidades espirituais que se tornam oferta. O sacrifício não se desfaz em cinzas, ou em fumaça, ou em vapor aromático; ele faz com que as coisas postas sobre o altar brilhem e resplandeçam. O que poderiam ser nossos ritos senão celestiais? Pois, se Jesus diz aos discípulos: *Àqueles a quem perdoardes os pecados, ser-lhes-ão perdoados; àqueles a quem os retiverdes, ser-lhes-ão retidos* (Jo 20, 23), se eles possuem as chaves do céu, o que poderiam ser essas coisas senão coisas celestiais?

[...] Não, até isso nós podemos dizer sem medo de errar. Pois a Igreja é celestial; ela não é nada menos do que o céu[1].

– São João Crisóstomo, século V

---

(1) São João Crisóstomo, *Homilia 14 sobre os hebreus*, n. 3.

5. Anjos da guarda

A devoção aos anjos da guarda foi uma das tradições mais vivas da Igreja primitiva; os leitores modernos, no entanto, frequentemente a perdem de vista. O enredo dramático dos Atos dos Apóstolos é propulsionado pela ação dos anjos. São eles que libertam os apóstolos da prisão (cf. At 5, 19; 12, 7), por exemplo. Um anjo é quem guia Filipe de Jerusalém a Gaza, onde viria a ocorrer seu fatídico encontro com o oficial da corte etíope (cf. At 8, 26). Anjos também promovem o encontro entre Pedro e Cornélio (At 10, 3-5). Meu trecho favorito, no entanto, é aquele em que Pedro chega a uma casa usada como igreja e as pessoas acham que *não* se trata de Pedro, e sim de seu anjo (cf. At 12, 15)!

A história da Igreja avança com a orientação, proteção e assistência dos anjos. O mesmo se dá com nossas vidas. Os primeiros cristãos sabiam disso, e é por essa razão que podiam confundir facilmente um homem com seu anjo da guarda. Como Pedro estava preso, era natural que se surpreendessem ao encontrá-lo batendo à porta – mas eles *não* se surpreenderam ao encontrar seu anjo!

Precisamos ter esse tipo de fé e essa vívida consciência dos nossos anjos da guarda. Afinal, Deus nos concedeu – a cada um de nós – essa mesma fonte celestial e poderosa de orientação, proteção e assistência.

A devoção aos anjos não surgiu como algo novo a partir da

proclamação do Evangelho: ela sempre fez parte da religião bíblica. A Bíblia está repleta de anjos – do início ao fim, do Gênesis ao Apocalipse. Eles são participantes fundamentais do drama vivido no Jardim do Éden. Aparecem frequentemente na vida dos patriarcas (Jacó chega a lutar contra um deles). Vão adiante dos israelitas durante o êxodo. Comunicam a Palavra de Deus aos profetas. Os próprios profetas revelam que até mesmo as *nações* têm seus respectivos anjos da guarda. O livro de Tobias nos mostra um anjo guiando um jovem na recuperação da fortuna de sua família, na descoberta da cura para a cegueira de seu pai e na busca de uma esposa bonita e virtuosa!

O Novo Testamento começa com uma explosão de atividade angelical. José e Maria não parecem particularmente surpresos ao receber ajuda dos anjos.

Mas o que exatamente são os anjos? A palavra vem do grego *angelos*, que é usada como tradução do hebraico *malakh*. Ambas significam «mensageiro» – mensageiro de Deus. Na grande tradição, o termo *anjo* veio a ser aplicado a toda a gama de seres incorpóreos, puramente espirituais, criados por Deus. Alguns foram criados para adorá-lO em seu trono; outros receberam o poder de controlar forças naturais do universo; e há também os que atuam como mensageiros. Na Bíblia, eles às vezes assumem forma humana, ou ainda outra forma temível e simbólica, com vários olhos (simbolizando sua sabedoria prodigiosa) ou tamanho gigantesco (representando sua força sobre-humana).

Como vimos no último capítulo, tanto os judeus quanto os cristãos do mundo antigo nutriam uma sã consciência da presença angelical, *sobretudo* durante seu culto ritual. É interessante notar que um dos livros mais populares entre os membros da comunidade que preservou os Manuscritos do Mar Morto era um manual de adoração chamado *A liturgia angélica*.

Até hoje, quando vamos à Missa, a assembleia nunca é pouco numerosa, ainda que seja *inexistente* em termos de presença humana. Os anjos estão ali presentes, como evidenciam as próprias palavras da Missa: «Por essa razão, agora e sempre, nós nos unimos à multidão dos anjos [...] cantando a uma só voz: Santo, Santo, Santo...». A própria Missa nos conclama a estar conscientes da presença dos anjos.

Naturalmente, devemos dar atenção especial aos nossos anjos da guarda, uma vez que foram especificamente designados para cuidar de nós.

A devoção aos anjos sempre provoca risos condescendentes entre os racionalistas, que a reduzem a santinhos com imagens sentimentais. No entanto, os anjos sempre fizeram parte da religião bíblica, e mesmo filósofos seculares admitiram que é difícil dar conta do cosmos sem eles. Isaiah Berlin, filósofo liberal do século XX, era razoavelmente obcecado pela ideia de que os anjos eram necessários. O filósofo Mortimer Adler se autodescrevia como «pagão» quando concluiu que os anjos eram parte da tessitura do universo.

Se pudéssemos ver as coisas como elas são, e não apenas como parecem ser, teríamos dificuldade em explicar nossas vidas sem algum entendimento sobre o lugar ocupado pelos anjos.

Desde o início, cada um de nós tem um anjo da guarda. Jesus disse: *Guardai-vos de menosprezar um só destes pequenos, porque eu vos digo que seus anjos no céu contemplam sem cessar a face de meu Pai que está nos céus* (Mt 18, 10).

Deus nos concede esses guias para que tenhamos ajuda sobre-humana em nossa jornada rumo ao Paraíso. Nossos anjos da guarda querem nos ajudar a trabalhar em favor da vontade de Deus. Querem que fiquemos longe do pecado. Querem nos ajudar a ajudar uns aos outros, sem atrapalhar a vida de outras pessoas. Ao longo do caminho, é claro, podem nos ajudar a atravessar com segurança uma ponte instável, mas somente se essa ação contribuir para a realização da vontade de Deus para nós e para o mundo. Eles querem o melhor para nós, embora isso nem sempre coincida com o que mais desejamos. O difícil é que o melhor para nós não corresponde necessariamente ao nosso conforto, à nossa saúde ou à nossa segurança. Às vezes, o melhor é o sofrimento – ainda que seja apenas para nos manter longe do pecado ou para evitar que tentemos outras pessoas a pecar.

Não obstante, nossos anjos da guarda trabalham diligentemente para ganhar nossa confiança, e o fazem para o *nosso* próprio bem. Eles sem dúvida nos ajudam (sobretudo quando pedimos) a encontrar uma vaga ou a dirigir pela confusa malha urbana de uma cidade grande. Os anjos seguem o padrão de comportamento de Deus: às vezes nos dão o que desejamos para que aprendamos a pedir aquilo de que precisamos.

Lembre-se sempre: somos filhos de Deus, e ninguém investe tanto quanto Ele no cuidado com os filhos. E por que será que Deus esbanja tanto conosco, a ponto de criar espíritos puros para cuidar de nós?

Porque Ele nos ama, é claro, e porque nos chamou à santidade – um estado que significa mais do que um mero estado de «bondade». Ser santo é colocar-se à parte em função de um propósito divino – colocar-se à parte para Deus. Deus criou o Jardim do Éden como um local santo, e ordenou a seus anjos que o guardassem e mantivessem puro (cf. Gn 3, 24). Ao encomendar o tabernáculo e, mais tarde, o Templo de Jerusalém, Ele desejava que ambos fossem seus santuários e pôs seus anjos a postos para protegê-los (cf. Ex 25, 18; 1 Re 8, 6-7).

Nós não fomos criados como um amontoado aleatório de moléculas de carbono, hidrogênio e oxigênio, mas como templos do Espírito Santo (cf. 1 Cor 2, 16; 6, 19). A exemplo dos querubins ancestrais, nossos anjos foram incumbidos da tarefa de proteger o santuário e mantê-lo puro para a presença de Deus.

Faríamos bem se rezássemos com frequência aquela oração que se costuma ensinar às crianças:

> Santo Anjo do Senhor, meu zeloso guardador,
> Se a ti me confiou a piedade divina,
> Sempre me rege, me guarda,
> Me governa e me ilumina. Amém.

Também devemos conhecer a proteção de São Miguel Arcanjo. Ele aparece nas Escrituras como guardião especial do povo de Deus no Antigo Testamento (cf. Dn 12, 1) e no Novo (cf. Ap 12, 7). A Igreja sempre reconheceu o papel de São Miguel no combate espiritual. Ele é invocado como guerreiro contra o demônio e contra todos os anjos rebeldes. As preces a São Miguel são poderosas sobretudo quando precisamos ser libertados do mal. Por muitos anos, a tradicional «Oração a São Miguel» foi recitada ao final de cada Missa. Vários católicos mantêm esse costume como parte de suas devoções cotidianas:

> São Miguel Arcanjo, defendei-nos no combate, sede o nosso refúgio contra as maldades e ciladas do demônio. Ordene-lhe Deus, instantemente o pedimos; e vós, príncipe da milícia celeste, pela virtude divina, precipitai no inferno a satanás e a todos os espíritos malignos que andam pelo mundo para perder as almas. Amém.

Medite no coração

Contemplemos brevemente esta intervenção dos anjos na vida de Jesus, pois assim entenderemos melhor o seu papel – a missão angélica – em toda a vida humana. A tradição cristã descreve os Anjos da Guarda como grandes amigos, colocados por Deus ao lado de cada homem para o acompanharem nos seus caminhos. E por isso nos convida a procurar a sua intimidade, a recorrer a eles.

[...] Devemos encher-nos de coragem, já que a graça do Senhor não nos há de faltar; Deus estará ao nosso lado e enviará os seus Anjos para que sejam nossos companheiros de viagem, nossos prudentes conselheiros ao longo do caminho, nossos colaboradores em todas as nossas tarefas. *In manibus portabunt te, ne forte offendas ad lapidem pedem tuum*, continua o salmo: os

Anjos levar-te-ão nas mãos, para que o teu pé não tropece em pedra alguma.

Temos de saber tratar os Anjos com intimidade: recorrer a eles agora, dizer ao nosso Anjo da Guarda [...]. Peçamos-lhe que leve até o Senhor a boa vontade que a graça fez germinar sobre a nossa miséria, como um lírio nascido no meio do esterco. *Sancti Angeli Custodes nostri, defendite nos in proelio, ut non pereamus in tremendo iudicio.* Santos Anjos da Guarda, defendei-nos no combate, para que não pereçamos no tremendo Juízo[1].

– São Josemaria Escrivá, século XX

---

(1) São Josemaria Escrivá, *É Cristo que passa*, 5ª ed., Quadrante, São Paulo, 2018, págs. 107-108.

Parte II
A vida e seus tempos

6. O calendário da Igreja

O rabino Samson Raphael Hirsch, considerado por muitos o fundador do judaísmo ortodoxo moderno, expressou-se poeticamente sobre a importância religiosa do calendário:

> O catecismo do judeu consiste em seu calendário. Nas engrenagens do tempo que nos sustentam ao longo de toda a vida, Deus inscreveu as palavras eternas de sua inspiradora doutrina, transformando dias, semanas, meses e anos em arautos que proclamam suas verdades. Nada parece tão fugidio quanto esses elementos do tempo, mas foi a eles que Deus confiou o cuidado das coisas santas, tornando-as, pois, menos perecíveis e mais fáceis de acessar[1].

Tudo o que acima se disse sobre o calendário judaico poderia ser igualmente aplicado ao ano cristão. Embora nós, católicos, tenhamos um catecismo *de fato* (graças a Deus!), frequentemente aprendemos de maneira muito mais profunda e efetiva nossa doutrina ao celebrar as festas e dias santos da Igreja. O próprio Catecismo da Igreja Católica adota um tom poético ao

---

(1) Samson Raphael Hirsch, *Judaism Eternal*, Soncino, Londres, s/d, pág. 3.

falar do calendário como momento de aprendizado que dura o ano todo. «O ciclo do ano litúrgico e as suas grandes festas constituem os ritmos fundamentais da vida de oração dos cristãos» (*CIC*, n. 2698). As grandes festas «comemoram» e «comunicam» o mistério de Cristo (n. 1171). Elas são um convite à oração cotidiana, cuja intenção é alimentar a oração *contínua* (nn. 2720; 2698).

O ato de «contar os dias» é parte integrante daquilo que somos e fazemos. É da natureza humana. Guardamos datas importantes e aniversários. Comemoramos acontecimentos marcantes. Nós nos definimos a nós mesmos com base nessas datas e períodos de tempo. Eu tenho 51 anos. Sou casado há 29; católico, há 22. Dou aula no mesmo lugar há dezoito anos. Sei de cabeça os aniversários de cada um dos meus filhos e netos.

Da mesma forma, minha vida profissional é marcada por semestres e pelos períodos de avaliações. O ano de um professor, bem como o de um fazendeiro ou de um contador, segue certo ritmo. É da nossa natureza medir o tempo assim, numerando apropriadamente nossos dias.

Ninguém conhece a natureza humana melhor do que Deus, seu Criador. Foi por isso que Ele projetou um mundo que segue determinados ritmos. O livro do Gênesis nos diz que o Senhor Deus criou o mundo em seis dias e descansou no sétimo. Ele descansou não porque estivesse esgotado – o Deus Todo-Poderoso jamais se cansa –, mas porque queria dar ao homem um modelo de trabalho e descanso que pudesse seguir. Doravante, o povo de Deus entendeu que devia trabalhar durante os seis dias que antecediam o sétimo, o *Shabat*. Os dias de trabalho apontavam para um dia no qual o povo ficava livre para louvar a Deus. Como o povo não conseguiu cumprir a tarefa de seguir esse ritmo, Deus a codificou em forma de lei, de maneira que o povo sempre se lembrasse *de santificar o dia de sábado* (Ex 20, 8).

O calendário santo coincide com os ritmos do cosmos. As

festas do Antigo Testamento marcavam não apenas os eventos sagrados e históricos, mas também o tempo de semear e de colher. A Lei não se referia somente à atuação dos sacerdotes no tabernáculo, mas também às fases da fertilidade humana.

No entanto, se o calendário santo marcava o tempo a partir dos ritmos cósmicos, esses mesmos ritmos estavam ali para servir de refúgio à santidade.

Jesus e os discípulos tinham profunda consciência do calendário e de sua importância religiosa. Lembremos com que ardor Ele desejou comer a Páscoa com os Doze (cf. Lc 22, 15). Notemos a fé com que Cristo e sua família peregrinaram a Jerusalém nos dias indicados (o que mais tarde seus discípulos também fariam). Quando escreve seu relato do ministério de Jesus, São João cuidadosamente registra que o drama se desenrolou de acordo com o calendário das festas judaicas. Jesus, no ponto mais alto da história, morre na Cruz precisamente no momento em que os cordeiros pascais são sacrificados no Templo.

Quando o Verbo se fez carne, toda a Criação e a história inteira atingiram sua plenitude. A doutrina de Deus, agora revelada *pessoalmente*, ganhou nitidez. O calendário em si reflete isso. Pouco a pouco, os meses e os dias se reordenaram – na verdade, o povo de Deus os reordenou – para que o Evangelho fosse ensinado por completo. Assim, todo o tempo humano se uniu em torno da ressurreição de Jesus Cristo. A semana deixou de ter fim no *Shabat* e passou a terminar no domingo, o Dia do Senhor, quando Jesus ressuscitou dos mortos. O ano continuou a culminar na Páscoa – na Páscoa cristã, que é a festa da salvação por meio da Paixão, morte e ressurreição do Senhor.

O Dia do Senhor e a Páscoa foram os dois principais dias santos da Igreja nascente. Pouco a pouco, contudo, os fiéis foram acrescendo ao calendário novas festas: o batismo do Senhor, sua concepção, seu nascimento, sua ascensão ao céu, e assim por diante.

A Igreja, ademais, demarcou não somente os dias relacionados à vida de Jesus, mas também os da nossa vida hoje. Jesus, afinal, é *autor da nossa fé* (Heb 12, 1); é *o primogênito entre uma multidão de irmãos* (Rm 8, 29). Nesses trechos está implícito que outros, muitos outros, virão em seguida, e a Igreja dá prova dessa afirmação ao celebrar as festas dos santos – a começar pela Virgem Santa Maria, mas incluindo também os apóstolos, os mártires e muitos outros.

O ano, tal qual se foi desenvolvendo, é como um microscópio ou um telescópio: trata-se de um instrumento de precisão feito para manter o objeto sempre em foco, sempre perto; e esse objeto é Jesus Cristo.

A exemplo do calendário judaico, o calendário cristão conta unidades de dias, semanas e meses. Há uma Semana Santa e várias «oitavas», isto é, períodos de oito dias, alguns deles dedicados a mistérios bíblicos, como a Páscoa e Pentecostes, e outros voltados para intenções de oração, como a unidade dos cristãos. O calendário cristão contempla diferentes tempos – o da Quaresma, o do Advento, o da Páscoa e o do Natal, assim como o «Tempo Comum». A Igreja também observa o costume de reservar alguns meses para determinados temas – maio para Maria, outubro para o seu Rosário... Para quem reza o Terço, a propósito, cada dia traz um conjunto diferente de mistérios para contemplação, em ciclos de gozo, luz, dor e glória. Como alguém já cantou, *para tudo há um tempo, para cada coisa há um momento debaixo dos céus* (Ecl 3, 1). De vez em quando, o Papa chega a escolher um ano inteiro para receber destaque no panorama geral da história, denominando-o «Ano Santo».

Ao longo do ano litúrgico, os cristãos são expostos repetidas vezes aos grandes acontecimentos da história da salvação. O lecionário ordena as leituras da Igreja (a prefiguração realizada pelo Antigo Testamento e a realização dela no Novo) quando da Missa. A celebração dos outros ritos – sacramentos e sacramentais – aplica o mesmo padrão ao curso de uma vida. Dada a maneira como se desdobra o lecionário, as semanas, as estações e os anos contam uma história unificada e contínua – e, no processo, transmitem a doutrina.

O ciclo traz tempos de jejum e tempos de festa, tempos de tristeza e tempos de alegria, tempos de penitência e tempos de reconciliação. Toda a Criação conta a história. Toda a História conta a história. Todas as nossas vidas – a sua e a minha – contam a história.

E trata-se de uma história de esperança. Somos encorajados a *alcançar a esperança proposta. Esperança esta que [...] penetra até além do véu, no santuário* (Heb 6, 18-19).

Medite no coração

Com efeito, para instruir o povo nas verdades da fé e levá-lo assim às alegrias da vida interior, mais eficazes que os documentos mais importantes do Magistério eclesiástico são as festividades anuais dos sagrados mistérios. Os documentos do Magistério, de fato, apenas alcançam um restrito número de espíritos mais cultos, ao passo que as festas atingem e instruem a universalidade dos fiéis. Os primeiros, por assim dizer, falam uma vez só, as segundas falam sem intermitência de ano para ano; os primeiros dirigem-se, sobretudo, ao entendimento; as segundas influem não só na inteligência, mas também no coração, quer dizer, no homem todo. Composto de corpo e alma, precisa o homem dos incitamentos exteriores das festividades, para que, através da variedade e beleza dos sagrados ritos, recolha no ânimo a divina doutrina e, transformando-a em substância e sangue, tire dela novos progressos em sua vida espiritual.

Além disso, ensina-nos a própria história que estas festividades litúrgicas foram introduzidas, no decorrer dos séculos, umas após outras, para responder a necessidades ou vantagens espirituais do povo cristão. Foram-se constituindo para fortalecer os ânimos em presença de algum perigo comum, para premunir os espíritos contra os ardis da heresia, para mover e inflamar os corações a celebrar com mais ardente piedade algum mistério de nossa fé ou algum benefício da divina graça[2].

– Papa Pio XI, século XX

---

(2) Papa Pio XI, encíclica *Quas primas*, nn. 21-22.

7. Quaresma e Páscoa

Os falantes do inglês padecem de uma desorientação fundamental no que diz respeito à compreensão dos mistérios centrais da fé. Na maioria dos idiomas, aquilo que os anglófonos chamam de *Jewish Passover* leva o mesmo nome da festa cristã da ressurreição de Jesus. Ambos são chamados de Páscoa – *Pascua, Pascha, Pasqua, Pessach,* Πάσχα. O termo inglês *Easter*, por outro lado, deriva de um velho festival primaveril alemão sobre o qual pouco se sabe.

Por isso, o termo «Mistério Pascal» não tem para os anglófonos as mesmas conotações que tem para os falantes de outras línguas. É esse mistério, de acordo com o Catecismo, que «está no centro» do Evangelho (cf. *CIC*, n. 571). Todas as outras festas e todos os outros mistérios apontam para o mistério central que celebramos na Páscoa (cf. *CIC*, n. 1171). E, no entanto, trata-se aqui do mesmo Mistério Pascal que celebramos todos os domingos – em todas as Missas, na verdade. Podemos pensar nesses memoriais como um conjunto de círculos concêntricos que vão se alargando e cujo coração é a Paixão salvífica do Senhor.

Para os cristãos, o Mistério Pascal deve evocar a velha Páscoa judaica, quando todos os primogênitos de Israel foram poupados, quando o povo escolhido foi libertado da escravidão e quando seus membros partiram em viagem rumo à Terra Prometida. A libertação do povo começou em cada uma das casas, com o sacrifício de um cordeiro e com o sangue espalhado no batente das portas. Nas gerações vindouras, os judeus continuaram a recordar esses acontecimentos salvíficos, mas também passaram a vê-los alegoricamente, como uma libertação contínua que Deus oferece a seu povo, tirando-o do vício e levando-o à virtude.

Na plenitude dos tempos, Jesus veio como *Cordeiro de Deus* (Jo 1, 29). Segundo seus discípulos, Ele era *Cristo, nosso cordeiro pascal que foi imolado* (1 Cor 5, 7). Para os cristãos, a Páscoa judaica não foi abolida, mas realizada em plenitude. *Celebremos, pois*, diz São Paulo, *a festa, não com o fermento velho nem com o fermento da malícia e da corrupção, mas com os pães não fermentados de pureza e de verdade* (1 Cor 5, 8).

Criados segundo as tradições do judaísmo, os primeiros cristãos conseguiam ver tanto a continuidade quanto a descontinuidade entre a Antiga e a Nova Aliança. Eles ainda celebravam o festival com pão não fermentado, mas agora o sacrifício era o próprio Cristo, que ofertara claramente seu corpo na Última Ceia. Foi aquele momento, aquela refeição pascal, que transformou a execução de Cristo num sacrifício único e definitivo.

A Páscoa do Antigo Testamento começou com a redenção dos primogênitos de Israel e com sua libertação da escravidão, mas só culminou muito tempo depois, com a entrada do povo escolhido na Terra Prometida, *terra que mana leite e mel* (Js 5, 6). Entre um acontecimento e outro, as tribos vagaram pelo deserto durante quarenta anos. Tratou-se de um período de expurgo, durante o qual Deus purificou os israelitas dos efeitos residuais causados por gerações de contato com a idolatria egípcia.

O mesmo padrão se repetiu na vida de Jesus. Antes de dar início a seu ministério público, inaugurando assim seu Reino, Ele jejuou e rezou por quarenta dias no deserto. E Ele o fez mesmo sem ter pecados e sem precisar de purificação. A exemplo de scu batismo, seu jejum foi um modelo a ser imitado pelos discípulos.

Assim, todos os anos, à medida que nos preparamos para celebrar a Páscoa – a grande festa do Mistério Pascal –, passamos também por uma purificação de quarenta dias no deserto, que são os «quarenta dias» da Quaresma. A Quaresma é o período que começa na Quarta-feira de Cinzas e termina no Sábado de Aleluia, um dia antes da Páscoa. Se excluímos os domingos (os Padres da Igreja proibiam o jejum aos domingos), em geral temos um total de quarenta dias.

O número quarenta é primordialmente (e profundamente) simbólico. A referência mais antiga que temos a uma preparação de quarenta dias para a Páscoa se encontra nos cânones do Concílio de Niceia (325 d. C.). Uma das expressões mais concisas do seu significado, no entanto, figura no trabalho de São João Cassiano, no século V. Ele descreve a Quaresma como «o dízimo do ano»[1], uma vez que contém aproximadamente um décimo dos dias do calendário anual. Nós oferecemos esses dias ao Senhor como uma oferta especial; ao fazê-lo, imitamos seu próprio jejum, como Ele mesmo quis que fizéssemos. Cassiano também menciona os modelos presentes no Antigo Testamento – remete ao exemplo de Israel, mas também aos de Moisés e Elias, que se submeteram a jejuns de quarenta dias.

Se somos leigos que vivem no meio do mundo, não precisamos praticar um jejum monástico, restrito a pão e água. Nos Estados Unidos, seguimos o costume de «abrir mão de alguma coisa» durante a Quaresma – de preferência de uma comida da qual gostamos muito ou de um passatempo ao qual estejamos apegados. Também podemos parar de comer entre as refeições, pular a sobremesa ou deixar de repetir o prato. Durante quarenta dias, oferecemos essas coisas a Deus não porque sejam

---

(1) São João Cassiano, *Conferências*, 21, 28.

«ruins», mas porque são muito boas. Somente as coisas boas podem ser oferecidas em sacrifício a Deus; somente a melhor parte da colheita pode ser ofertada como dízimo. Entregamos tudo isso a Ele para que possamos aprender a não colocar nada acima dEle em nossas vidas.

É desnecessário dizer que também devemos abandonar quaisquer hábitos que sejam pecaminosos ou imorais. No entanto, normalmente esses hábitos não são matéria do jejum quaresmal. Eles devem ser rejeitados (ao menos em nossas intenções) mesmo antes de começarmos as disciplinas da Quaresma.

Mediante o jejum, preparamo-nos para o banquete. Nas palavras de Santo Atanásio: «Purificados pelas privações de quarenta dias, pelas orações, pelo jejum, pela disciplina e pelas boas obras, seremos capazes de desfrutar da Santa Páscoa em Jerusalém»[2]. Agora que Cristo é nossa Páscoa e ascendeu aos céus, celebramos a festa não mais na Jerusalém terrena, mas numa nova Cidade Santa.

> *Vós, ao contrário, vos aproximastes da montanha de Sião, da cidade do Deus vivo, da Jerusalém celestial, das miríades de anjos, da assembleia festiva dos primeiros inscritos no livro dos céus, e de Deus, juiz universal, e das almas dos justos que chegaram à perfeição, enfim, de Jesus, o mediador da Nova Aliança, e do sangue da aspersão, que fala com mais eloquência que o sangue de Abel* (Heb 12, 22-24).

Por isso, a Igreja ancestral celebrava a Missa da Páscoa com especial solenidade. Em alguns lugares, a celebração durava a noite inteira, desde o pôr do sol na Vigília Pascal até o nascer do sol na manhã de Páscoa. Ao longo da liturgia, a Igreja lia uma seleção de passagens bíblicas que contavam, em linhas gerais,

---

(2) Santo Atanásio, *Cartas festivas*, 3, 5.

a história da salvação: da Criação ao dilúvio, do chamado de Abraão ao êxodo, do reino de Davi ao exílio, culminando no mistério de Cristo. É por isso que, nas memórias que os Evangelhos trazem da Paixão, encontramos a repetição de todos os grandes temas do Antigo Testamento. Encontramos alusões ao Jardim do Éden, ao dilúvio que cobriu a terra, à oferenda do primogênito Isaac, à imolação do cordeiro... Toda a história passa a ser abarcada pelo grande Mistério Pascal.

A antiga liturgia da Vigília Pascal, por sua vez, era ainda mais do que tudo isso. Não se tratava apenas de uma liturgia da palavra, mas também de uma liturgia do batismo e da Eucaristia. A Vigília Pascal era a ocasião em que se acolhiam os novos cristãos nos mistérios da fé, às vezes depois de anos de preparo intenso. A vida do mundo, a vida da Igreja e as vidas de tantos indivíduos atingiam ali seu ápice. Um bispo do século II assim descreveu esse momento, numa homilia proclamada durante a Vigília: «A Lei tornou-se Verbo, o velho tornou-se novo, [...] a imagem tornou-se realidade, o cordeiro tornou-se o Filho»[3].

O clímax de *tudo* é o batismo, que a Igreja dos primeiros cristãos chamava de «iluminação» (Heb 6, 4; 10, 32), e depois a Eucaristia, que os apóstolos conheciam como *koinonia*, ou «comunhão».

Desde os tempos mais remotos, a Igreja encara a peregrinação cristã como um movimento que vai da *purificação* à *iluminação* e, por fim, à *união* com Deus. Esses são os estágios que cumprimos à medida que passamos pelos sacramentos de iniciação. Eles traçam um padrão que se repete ao longo da história, ao longo de uma vida inteira, ao longo da semana litúrgica, ao longo do ano, e até mesmo ao longo da Missa.

À medida que nos conformamos aos mistérios pascais, passamos do pecado à comunhão por meio da penitência.

---

(3) São Melitão de Sardes, *Homilia pascal*, 20, 7.

Medite no coração

Firmemente cremos, irmãos, que o Senhor morreu por nossos pecados. [...] Como sabeis, tudo isso ocorreu de uma vez por todas. E, no entanto, dispomos das solenidades litúrgicas que celebramos à medida que, ao longo do ano, chegamos às datas de cada acontecimento em particular. Contradição não há entre a verdade dos fatos e as solenidades da liturgia, como se estas últimas não passassem de mentira. A verdade histórica consiste no que se deu uma única vez e em caráter definitivo, mas a liturgia torna esses acontecimentos sempre novos para os corações que, com fé, os celebram. A verdade histórica revela-nos os acontecimentos tais quais ocorreram, mas a liturgia, embora não os repita, celebra-os e evita que caiam no esquecimento. Por essa razão, e com base na verdade histórica, proclamamos que a Páscoa se deu uma única vez e não acontecerá de novo; todavia, fundamentados na liturgia, podemos dizer que ela ocorre todos os anos. Graças à liturgia, o espírito humano alcança a verdade e proclama sua fé no Senhor[4].

– Santo Agostinho de Hipona, século IV

---

(4) Santo Agostinho, *Sermão 220*.

8. Advento e Natal

O dia e a época do Natal dispensam comentários, certo? Já no início de novembro, a mídia e as vitrines passam a nos lembrar constantemente da iminência da celebração. A festa do nascimento de Jesus é o período do ano de maior movimento para os lojistas. Os economistas a monitoram de perto e a analisam exaustivamente como indicador da saúde financeira das nações.

Digo tudo isso sem nenhuma gota de ressentimento. Deixemos que os carrancudos reclamem soturnamente da comercialização do Natal; embora também eu tenha lá minhas críticas a esse fenômeno, vejo como homenagem a Cristo o fato de seu nascimento inspirar uma época tão cheia de generosidade – ainda que essa generosidade seja precedida de uma temporada de compras.

O obscurecimento do Advento, porém, me causa tristeza. É notório que o tempo de preparo espiritual para o Natal foi tragado por essa crescente temporada de compras. O Advento é um tempo que precisamos recuperar, ainda que isso exija de nós um esforço heroico.

No Advento, a liturgia nos instiga a reviver aquele período de expectativa ao longo do qual o mundo esperou pelo Salvador. Ouvimos as palavras dos profetas e as tomamos para nós. Os profetas desejaram ansiosamente o advento de condições que só se apresentariam quando Israel seguisse à risca os termos da Aliança. No entanto, as pessoas voltavam a cair no pecado e, assim, perdiam os privilégios que Deus lhes tinha concedido, isto é, a prosperidade e a felicidade numa terra que mana leite e mel. Os profetas ansiavam por um Messias, por um Redentor, por um Libertador.

Com o nascimento de Jesus cumpriu-se plenamente todos os anseios sagrados que se tinham acumulado ao longo de vários séculos. É essa a alegria que recordamos no Natal, mas é difícil experimentá-la sem antes viver a espera.

Eis por que o primeiro período que a Igreja nos propõe não é o de compras, mas o da *espera*. O Advento é por vezes chamado de «Pequena Quaresma», dado que se trata de um tempo de jejum preparatório e autonegação. Ele não é tão longo quanto a «Grande Quaresma», podendo chegar a apenas 21 dias de duração, mas ainda assim deve ser uma época de pequenos sacrifícios diários. Os apóstolos jejuavam em preparação para o culto do Senhor (cf. At 13, 2), e nós devemos fazer o mesmo. A sensação de vazio deve servir como sinal sensível de nossa necessidade espiritual.

Ao menos uma vez ao ano, convém lembrar a dor e a miséria de um mundo sem Cristo. Há séculos vivemos num mundo moldado por pressupostos cristãos – pelas noções cristãs de certo e errado, de decência, de justiça e de dignidade humana. Agora, porém, à medida que o mundo vai se esquecendo de Cristo, todos esses ganhos naturais proporcionados por seu advento estão desaparecendo. Em Estados pós-cristãos, temos assistido ao desaparecimento total da noção de dignidade humana, seguido de perto pela perda dos direitos humanos, a começar pelo direito à vida. Neste mundo pós-cristão, vemos minorias étnicas voltando a erguer-se violentamente contra seus parentes mais próximos, em conflitos separatistas brutais. O mundo tem rapidamente perdido aquele senso de família transnacional que Cristo veio inaugurar, aquele reino em que Israel e os gentios podem viver juntos pacificamente.

Se queremos nos apegar de verdade às coisas boas que vieram com Cristo, devemos começar por manter viva a lembrança da diferença que Ele fez – da diferença que o Natal fez. O Advento nos convida a abandonar nossa situação de conforto cultural. A Igreja ecoa os profetas, que dizem: *Ai daqueles que vivem comodamente em Sião* (Am 6, 1) – ou seja, aqueles que fazem pouco caso dos dons extraordinários que vêm de Deus.

Se nos sentimos tentados a reclamar de uma cultura que esqueceu Jesus Cristo, então talvez estejamos começando a sentir aquele mesmo anseio que os profetas experimentaram.

Cristo veio, mas nós esperamos que Ele venha de novo. Ele nos salvou, mas nós ainda esperamos pelo dia em que Ele *enxugará toda lágrima de seus olhos e já não haverá morte, nem luto, nem grito, nem dor* (Ap 21, 4). Cristo veio e continua a vir na Eucaristia. Ele virá novamente na consumação da história. Por esse dia, até as almas dos justos clamam no céu: *até quando?* Nisso, agem como agiram os profetas de antigamente (cf. Ap 6, 10).

O Advento lembra que nossa salvação tem ainda duas dimensões: uma do «já» e outra do «ainda não». Nele, entoamos as «Antífonas do Ó» (cantos ancestrais de espera e expectativa) porque esperamos a vinda plena do nosso Salvador – sua «parúsia plena», como a chamam os teólogos. No fim dos tempos, quando Ele vier, sua glória não será diferente da glória que Ele tem hoje na Eucaristia, mas nós poderemos vê-lO tal como é. A diferença não estará nEle, mas em nós: *Sabemos que, quando isto se manifestar, seremos semelhantes a Deus, porquanto o veremos como Ele é* (1 Jo 3, 2). Nós esperamos por esse dia e jejuamos durante o Advento porque, como lemos no versículo subsequente da carta de São João, *todo aquele que nEle tem esta esperança torna-se puro, como Ele é puro.*

Um Advento abençoado, portanto, é a única via de acesso a um Natal feliz. Os cristãos jamais devem ser como aqueles membros dos segmentos ricos da sociedade que um crítico social certa vez disse serem «almas que não anseiam por nada». Por ocasião do Advento, esse anseio deve ser parte de nosso dia a dia.

O Advento é um tempo de vigília, de atenção e de espera. Estamos ansiosos pela chegada de Cristo e, por isso, prestamos especial atenção à nossa vida de oração, à nossa vida moral, à maneira como tratamos os outros e à maneira como expressamos nosso amor por Deus. Não podemos nos deixar afetar por aquele «cansaço do Natal» que chega muito antes do dia 25 de dezembro. Se necessário, devemos fazer jejum de rádio, a fim de não ter de ouvir aquele fluxo infinito de vinhetas natalinas que começa já em novembro; ou, então, jejum de TV, para evitar toda aquela programação que antecipa o cumprimento do Natal em plena espera do Advento. Devemos, também, mostrar a outras pessoas que é possível comprar presentes de Natal sem se curvar de maneira idólatra ao consumismo.

A Igreja é um refúgio contra o nascimento prematuro. As igrejas católicas mudam durante o Advento (ou pelo menos deveriam mudar). Na Missa, eliminamos o «Glória», por se tratar de uma canção de Natal – o canto dos anjos quando do nascimento em Belém (cf. Lc 2, 14). Na verdade, corais e músicos devem evitar o uso de *qualquer* canto de Natal durante as liturgias do Advento.

A esperança é o sentido do Natal, e a espera por Jesus Cristo sem dúvida vale a pena. Seria absurdo desejar um presente melhor do que aquele recebido por Simeão e Ana durante a primeira oitava de Natal (cf. Lc 2, 25-38) – e eles já haviam esperado uma vida inteira, e não apenas quatro semanas! Pensemos também nos magos, que perscrutavam os céus na esperança de encontrar um sinal.

Nós «já» O conhecemos, mas «ainda não» O conhecemos. Vivamos nossos dias, pois, da maneira como devemos vivê-los, buscando por sinais e, em seguida, regozijando-nos no mistério da Encarnação.

Medite no coração

O Advento do Senhor é comemorado em quatro semanas, para assinalar suas quatro vindas: na carne, no espírito, na morte e no Juízo. A última semana não é completa, porque a glória que será concedida aos santos, quando do último Advento, nunca terá fim.

[...] Embora haja quatro tipos de adventos, a Igreja ocupa-se especialmente de dois: o Advento na carne e o no Juízo. Daí que o jejum do Advento seja em parte um jejum de júbilo e em parte um jejum de tristeza; jejum de júbilo em razão do Advento na carne, jejum de tristeza em razão do Advento no Juízo.

[...] No que concerne ao Advento na carne, podemos fazer três considerações: sua oportunidade, sua necessidade e sua utilidade. A oportunidade refere-se em primeiro lugar ao homem, que estando sob a lei natural perdeu conhecimento de Deus, razão pela qual incorreu em abomináveis erros de idolatria e viu-se obrigado a gritar: *Senhor, ilumina meus olhos* (Sl 13, 4). Veio em seguida a Lei, que levou o homem a reconhecer sua impotência [...].

[...] A oportunidade refere-se em terceiro lugar ao ferimento e à doença que vinha curar. À doença universal, forneceu um remédio universal, o que faz Agostinho dizer: «Então chegou o grande médico, quando todo o universo era um grande enfermo». É por esse motivo que a Igreja, nas sete antífonas que canta antes da Natividade do Senhor, refere-se a inumeráveis enfermidades e reclama para cada uma delas a intervenção do médico. Antes da vinda do Filho de Deus na carne, éramos ignorantes e cegos a caminho da danação eterna, escravos do diabo, acorrentados ao mau hábito do pecado, envoltos nas trevas, exilados errantes expulsos de sua pátria.

[...] A necessidade do Advento estava no fato de precisarmos de um doutor, de um redentor, de um libertador, de um emancipador, de um iluminador e de um salvador.

[...] A utilidade do Advento de Cristo decorre de diversas

causas, de acordo com diversos santos. O próprio Deus, em Lucas 4, diz ter sido enviado e vindo por sete motivos: *O Espírito do Senhor está sobre mim*. Ele aí afirma ter sido enviado para consolar os pobres, curar os enfermos, libertar os cativos, iluminar os ignorantes, perdoar os pecadores, redimir todo o gênero humano e dar a cada um de acordo com seus méritos.

[...] Sobre isso, diz São Bernardo: «Sofremos miseravelmente de três tipos de enfermidades, porque somos fáceis de seduzir, fracos para agir e frágeis para resistir. [...] Daí a necessidade da vinda de um Salvador, para que habitando conosco pela fé, ilumine nossa cegueira, ficando conosco, ajude nossa enfermidade, erguendo-se por nós, proteja e defenda nossa fragilidade»[1].

– Jacopo de Varazze, século XIII

---

(1) Jacopo de Varazze, *Legenda áurea*, Companhia das Letras, São Paulo, 2018, págs. 47-50.

9. Novenas

As novenas certamente estão entre as formas mais populares de devoção nos tempos modernos. Elas possuem raízes muito antigas, e até mesmo raízes bíblicas profundas. Entretanto, suas formas atuais e sua onda de popularidade são relativamente recentes em termos eclesiásticos – datam «apenas» dos anos 1600.

Novena é uma oração que envolve nove etapas. Pode contemplar nove orações a serem recitadas ao longo de certo período, ou pode exigir que a mesma oração seja repetida nove vezes – diariamente, por exemplo, ao longo de nove dias, ou mesmo semanalmente, ao longo de nove semanas.

A palavra vem de *novem*, termo latino que corresponde a nove. Dizem os devotos que as origens da prática estão no dia da ascensão do Senhor ao céu, quando Jesus deu início a um período de nove dias de oração:

> *Ordenou-lhes que não se afastassem de Jerusalém, mas que esperassem o cumprimento da promessa de seu Pai [...]. Tendo entrado no cenáculo, subiram ao quarto de cima, onde costumavam permanecer. Todos eles perseveravam unanimemente na oração, juntamente com as mulheres, entre elas Maria, mãe de Jesus* (At 1, 4-14).

Por nove dias os discípulos rezaram; no décimo, o dia de Pentecostes, receberam o Espírito Santo.

A Igreja primitiva tinha outras devoções com nove dias de duração. Famílias e amigos de luto ofereciam nove dias de oração ou Missa, bem como práticas de caridade, pelo repouso dos que haviam partido.

Qual é o significado do número nove? Alguns comentadores dizem que o sentido vem de que o nove precede o dez, número redondo que representa a plenitude e a perfeição. O nove, portanto, seria um sinal da nossa carência humana, da nossa imperfeição. Como frequentemente rezamos novenas com intenções específicas, essa interpretação corresponde à realidade.

Há muitas novenas em circulação, e somos livres para oferecer nossas orações favoritas e rezá-las em grupos de nove. A Igreja, porém, recomenda[1] que tentemos atrelar nossas devoções individuais ao ano litúrgico, uma vez que o calendário, como já apontamos, é também um catecismo, e devemos respeitar a lógica por trás do seu desdobramento. Por essa razão, as novenas mais populares entre os Papas sempre estiveram relacionadas a grandes datas festivas. O Papa Leão XIII decretou, em sua encíclica sobre o Espírito Santo (*Divinum illud munus*), que cada paróquia católica observasse uma novena anual ao Espírito Santo, imitando assim os apóstolos e a Santíssima Virgem nos dias entre a ascensão do Senhor e Pentecostes.

Todos os Papas recentes demonstraram um carinho especial pela «novena de Natal», isto é, pelos nove dias de oração ou meditação que antecedem a festa da Natividade. Cada dia representa um dos meses que Jesus viveu no útero materno. O Papa Bento XVI manifestou o desejo de que todos os católicos vivessem o espírito dessa devoção:

> Na Novena de Natal, [...] à medida que nos aproximamos da Noite Santa, a liturgia com crescente intensidade espiritual faz-nos repetir: «*Maranatha*! Vinde, Senhor

---

(1) Cf. o n. 189 do *Diretório sobre piedade popular e Liturgia: princípios e orientações*, publicado pela Congregação para o Culto Divino em 2002.

Jesus!». Esta invocação eleva-se do coração dos crentes em todas as partes da terra e ressoa incessante em cada comunidade eclesial[2].

Nada nos impede de adotar essa prática medieval neste ano, recitando essas palavras simples («*Maranatha*! Vinde, Senhor Jesus!») uma vez por dia, durante nove dias (cf. 1 Cor 16, 23; Ap 22, 20).

Papas e santos da história recente também tiveram enorme afeição pela novena da Imaculada Conceição, que pode ajudar os fiéis a se prepararem para a grande festa da Santíssima Virgem.

O ideal é que as novenas estejam ligadas a festas litúrgicas, mas isso nem sempre é necessário. Frequentemente, rezamos novenas em função de necessidades que surgem ao longo da vida. Na véspera do Concílio Vaticano II, o Papa João XXIII exortou todas as paróquias do mundo a oferecerem uma novena solene ao Espírito Santo[3]. Às vezes, como nesse caso, precisamos de um derramamento do Espírito Santo que não faz parte do calendário da Igreja!

Em momentos de grande necessidade, Santa Teresa de Calcutá instruía suas irmãs a rezarem uma «novena de emergência» – nove repetições do *Memorare*, a estimada prece mariana:

> Lembrai-vos, ó piíssima Virgem Maria, que nunca se ouviu dizer que algum daqueles que recorreram à vossa proteção, imploraram a vossa assistência e reclamaram o vosso socorro fosse por vós desamparado. Animado eu, pois, com igual confiança, a vós, Virgem, entre todas singular, como à minha Mãe recorro; de vós me valho e, gemendo sob o peso de meus pecados, me prostro aos vossos pés. Não rejeiteis as minhas súplicas, ó, Mãe do Filho de Deus hu-

---

(2) Papa Bento XVI, Discurso às forças armadas italianas, 16.12.2005.
(3) Cf. a encíclica papal *Paenitentiam agere*, n. 26.

manado, mas dignai-vos de as ouvir e de me alcançar o que vos rogo. Amém.

Madre Teresa disse ter alcançado muitas graças depois de concluir essas novenas (também chamadas, popularmente, de «novenas de emergência»).

Quando rezamos uma novena, é importante que recordemos os fundamentos das orações cristãs. Nós recorremos a Deus em nossas necessidades, elevamos a Ele nossas mentes e nossos corações, clamamos por coisas boas. Devemos ser cuidadosos para não tratar as orações como ações mecânicas ou mágicas. Nossa intenção não é fazer com que Deus mude de ideia – Ele não o faz. Ao contrário: a oração é a maneira que Deus escolheu para *nos* fazer mudar de ideia. Não se trata de negar a eficácia da oração. Como já afirmei em capítulo anterior, Deus às vezes nos dá aquilo que desejamos a fim de que cresçamos em confiança e, assim, aprendamos a pedir aquilo de que precisamos.

Escarnecer da devoção popular é moda em alguns círculos, mas isso é algo que eu jamais pretendo fazer. Ao longo dos anos, aprendi que a fé simples com frequência é mais profunda do que os cursos de pós-graduação em teologia.

Não obstante, já recebi um número razoável de novenas por e-mail e já peguei muitas folhas xerocadas no fundo da igreja. Isso é o suficiente para saber que vale a pena ter um pouco de cuidado. Fico profundamente aflito quando as pessoas compartilham aquilo que chamam de «novena infalível». Em certo sentido, é claro, todas as novenas são infalíveis. Deus ouve todas as orações e sempre as responde tendo em vista o nosso bem. O termo «infalível», no entanto, sugere que é possível manipular Deus, e isso pode pôr em crise a fé daqueles que acreditam na obtenção certa do que querem, e exatamente como querem. Já no século II, Tertuliano, autor que viveu no norte da África, preocupava-se com os cristãos cujas orações se tinham transformado em superstições, o que não diferia muito da abordagem pagã. Em vez de se alinhar com a vontade de Deus, eles achavam que as orações eram formas de manipular a divindade. Devemos ter cuidado para não rezar dessa forma e para não divulgar orações que podem induzir a erro aqueles que têm pouca instrução na fé. É melhor usar a palavra «infalível» ao falar de uma receita de doce de amendoim, e não de uma novena!

Medite no coração

O[s] Atos dos Apóstolos recorda[m]-nos o período sucessivo à ascensão de Cristo ao céu, quando os Apóstolos, segundo a sua recomendação, retornaram ao Cenáculo e ali permaneceram em oração, com a Mãe de Jesus e os irmãos e irmãs da comunidade primitiva, que foi o primeiro núcleo da Igreja (cf. At 1, 12- 14). Cada ano, após a Ascensão, a Igreja revive esta primeira novena, a novena ao Espírito Santo. Os Apóstolos, reunidos no Cenáculo, com a Mãe de Cristo, oram para que se cumpra a promessa que lhes foi feita por Cristo ressuscitado: *Ides receber uma força, a do Espírito Santo, que descerá sobre vós, e sereis minhas testemunhas* (At 1, 8). Esta primeira novena apostólica ao Espírito Santo é o modelo daquilo que a Igreja faz cada ano.

A Igreja ora: *Veni, Creator Spiritus*! «Vinde, ó Espírito criador! Visitai as almas dos vossos fiéis; enchei, com a graça que vem do alto, os corações que são as vossas criaturas...».

Repito com emoção esta oração da Igreja universal convosco [...]. Temos a certeza de que o Espírito Santo renovará a face da vossa terra, renovará a paz na terra[4].

– São João Paulo II, século XX

---

(4) São João Paulo II, Homilia em Beirute, Líbano, 11.05.1997.

Parte III
Um dia na vida

10. Postura

Meu amigo Mons. George Kelly gostava de enaltecer as virtudes de sua mãe. Quando já estava bem velhinha, ela precisou operar uma das pernas. À medida que o médico ia explicando quais eram suas alternativas – ele detalhava os prós e os contras, mencionando as dores persistentes e a redução da mobilidade –, ela ficava visivelmente impaciente. Na primeira chance que teve, a Sra. Kelly interrompeu o médico e lhe informou qual era o único critério que influenciaria sua decisão: o médico devia curar sua perna de maneira que ela pudesse fazer a genuflexão, isto é, ajoelhar-se brevemente sobre o joelho direito, sempre que passasse diante do sacrário.

Assim como os salmistas, a Sra. Kelly conhecia a importância da postura. *Senhor, vós me perscrutais e me conheceis, sabeis tudo de mim, quando me sento ou me levanto. De longe penetrais meus pensamentos* (Sl 139, 1-2). Somos compostos de corpo e alma, e, como bem observou Romano Guardini,

> [o] corpo inteiro é instrumento e expressão da alma. Esta não se encontra simplesmente no corpo como um homem que está em casa, mas vive e atua em cada membro e em

cada fibra do nosso organismo. Fala em cada linha, forma e movimento do corpo¹.

A alma, portanto, não se expressa na nossa oração (seja ela privada ou litúrgica) apenas pelas palavras, mas também pelos gestos e pela maneira como nos comportamos. Se fôssemos convidados para jantar na Casa Branca ou no Palácio de Buckingham, é improvável que nos portássemos de maneira desleixada, ou que ficássemos parados com a mão no bolso. Nossos corpos comunicariam aquilo que pensamos sobre o cargo de presidente ou do monarca. Nossos corpos comunicariam respeito.

A Bíblia menciona várias posições de oração: ficar de pé, ajoelhar-se, curvar-se, prostrar-se... A Igreja se vale de cada uma delas em momentos diferentes e apropriados.

Ao prostrar-se, o indivíduo fica com o rosto junto ao chão, com o corpo e os braços totalmente estendidos. A prostração é reservada para os momentos mais solenes, como a ordenação de um bispo ou padre e a abertura dos serviços litúrgicos da Sexta-Feira Santa. No primeiro caso, a postura indica a inadequação do candidato para cumprir a tarefa a que foi chamado. No segundo, como poeticamente expressou o Cardeal Ratzinger, ela comunica o choque da Igreja «pelo fato de que, com os nossos pecados, somos corresponsáveis pela morte de Cristo na Cruz»².

Em paróquias da Igreja Oriental, já vi acólitos se prostrarem diante do altar durante a oração eucarística – chamada no Oriente de «anáfora». Lá, esse é um sinal de profunda reverência por Jesus, que se encontra verdadeiramente presente na Eucaristia.

Também nós podemos nos prostrar em nossas orações pessoais, como eu mesmo fiz diante da cruz de aço na noite a que

---

(1) Romano Guardini, *Os sinais sagrados*, pág. 5.
(2) Cardeal Joseph Ratzinger, *Introdução ao espírito da liturgia*, pág. 156.

me referi na Introdução deste livro. Para mim, aquele gesto expressava o desamparo que eu vinha sentindo, bem como minha tentativa de imitar a Jesus, que, em sua desolação e entregando a Si mesmo, rezou *prostrando-se com a face por terra* (Mt 26, 39).

O ato de ajoelhar-se é mais uma prática do Evangelho que integramos à linguagem corporal da nossa vida de oração. No Novo Testamento, rezar de joelhos é prática das mães, dos governantes, dos leprosos e do próprio Jesus (cf. Mt 8, 2; 9, 18; 15, 25; Lc 22, 41). Com satisfação, São Paulo declara: *dobro os joelhos em presença do Pai* (Ef 3, 14).

Ao mesmo tempo, ficar de pé também dá expressão às preces de nosso coração. Mais uma vez, é o padre Guardini quem diz:

> Este é o outro aspecto da reverência que devemos a Deus. Quando nos ajoelhamos, manifestamos um respeito que adora, que permanece recolhido em profundo silêncio; quando nos pomos de pé, manifestamos um respeito desperto, ativo. É o respeito do servidor atento, do soldado decidido.
> Pomo-nos de pé, na Santa Missa, quando se proclama a Boa-nova no Evangelho. [...] Estão de pé os noivos quando se unem em casamento diante do altar por meio da palavra de fidelidade[3].

Durante boa parte da liturgia, no entanto, não ficamos nem de joelhos, nem de pé (e tampouco prostrados, é claro). Quando das leituras do Antigo Testamento, por exemplo, permanecemos sentados. Essa posição, no entanto, nada tem de neutra. Ao nos sentarmos, assumimos uma postura receptiva. Estamos ouvindo, recebendo a Palavra de Deus.

Na oração, cada postura tradicional é rica em significado,

---

(3) Romano Guardini, *Os sinais sagrados*, pág. 11.

bem como cada gesto. Pensemos no modo como posicionamos ou unimos as mãos durante a oração. Os costumes referentes a essas posições mudaram ao longo dos séculos e variam de lugar para lugar, mas cada especificidade comunica algo importante. Quando um cavaleiro juntava suas mãos, por exemplo, tornava-se vulnerável. Não podia sacar sua arma. Era assim, pois, que permanecia quando diante de um rei ou de um juiz. Tratava-se de um sinal de deferência e, ao mesmo tempo, de confiança. Nós também somos vulneráveis quando estamos na presença de Deus; nenhuma de nossas armas pode feri-lO e nenhuma de nossas defesas pode afastá-lO. Nós O reverenciamos como alguém maior do que os reis terrenos, pois só Ele é todo-poderoso e conhece todas as coisas.

As mãos juntas, com as palmas se tocando, lembram uma chama que aponta para o céu – imagem apropriada se atentamos para o conselho oferecido por São Paulo: *Eu vos exorto [...] a oferecerdes vossos corpos em sacrifício vivo, santo, agradável a Deus: é este o vosso culto espiritual* (Rm 12, 1).

Os oficiais do exército sabem bem que postura é assunto sério. O soldado é avaliado pela maneira como se porta; por isso, há normas rigorosas sobre como ele deve agir quando em posição de «sentido», e até mesmo em posição de «descanso». A má postura não é apenas ruim para as costas, mas também desmoralizante. Ela afeta o moral das tropas e comunica desrespeito tanto por nós mesmos quanto por aqueles que estão conosco (ou por Aquele que está conosco).

O cuidado com os gestos e com a postura, por outro lado, nos permite rezar de maneira integrada, com nossos corações, mãos e vozes. Quando rezamos juntos com a Igreja, obviamente, como é o caso da Missa, devemos sempre nos portar de acordo com o que a Igreja prescreve: sentar, ficar de pé, inclinar o corpo, ajoelhar, bater no peito, fazer o sinal da cruz – tudo em seu devido tempo.

Como cristãos, sabemos que não somos como «fantasmas na máquina». Antes, somos tanto corpos dotados de almas quanto almas dotadas de corpos. Somos criaturas compostas de corpo e alma numa unidade integral. O Papa João Paulo II foi capaz de construir toda uma «Teologia do Corpo» com base na premissa de que o corpo é a expressão do «"eu" humano pessoal»[4]. Não é preciso dizer que isso traz consequências profundas para a maneira como prestamos culto. A oração não diz respeito apenas à mente. Tampouco consiste no domínio da mente sobre a matéria. Antes, ela contempla tudo aquilo que Deus nos deu.

Medite no coração

A posição em que nos colocamos diante da celebração da Eucaristia – de pé, sentados, de joelhos – leva-nos às disposições do coração. É toda uma série de vibrações que se dá na comunidade orante.

Se o *estar em pé* manifesta a liberdade filial dada pelo Cristo pascal, que nos libertou da escravidão do pecado, o *estar sentado* exprime a receptividade cordial de Maria que, sentada aos pés de Jesus, escutava a sua palavra; o *estar de joelhos* ou *profundamente inclinado* mostra que devemos tornar-nos pequenos diante do Altíssimo, diante do Senhor (cf. Fl 2, 10).

A genuflexão diante da Eucaristia, como fazem o sacerdote e os fiéis, exprime a fé na presença real do Senhor Jesus no Sacramento do altar.

Refletindo aqui na Terra, nos santos sinais, a liturgia celebrada no santuário do céu, imitamos os anciãos que *se prostravam diante daquele que vive pelos séculos dos séculos* (Ap 4,10).

Se na celebração da Eucaristia adoramos o Deus que é conosco e para nós, uma tal experiência do espírito deve prolongar-se e refletir-se também em tudo o que fazemos, pensamos e

---

(4) São João Paulo II, Audiência geral, 19.12.1979.

operamos. A tentação, sempre insidiosa, de preocupar-se com as coisas deste mundo pode levar-nos a dobrar os joelhos diante dos ídolos, não já diante de Deus apenas.

As palavras com que Jesus, no deserto, rejeita as idólatras sugestões do demônio devem encontrar eco no nosso falar, pensar e agir cotidianos: *Adorarás o Senhor, teu Deus, e só a Ele servirás* (Mt 4, 10).

Dobrar os joelhos diante da Eucaristia, adorando o Cordeiro que nos permite celebrar a Páscoa com Ele, educa-nos a não nos prostrar diante de ídolos construídos por mãos de homem; e estimula-nos a obedecer, com fidelidade, docilidade e veneração, a quem reconhecemos como único Senhor da Igreja e do mundo[5].

– Congregação do Vaticano para o Culto Divino e a Disciplina dos Sacramentos, século XXI

---

(5) Congregação do Vaticano para o Culto Divino e a Disciplina dos Sacramentos, *Ano da Eucaristia: sugestões e propostas*, 15.10.2004.

11. Oferecimento matinal

A raça humana recebeu uma vocação sacerdotal no momento mesmo em que foi criada. No livro do Gênesis, vemos que Deus plantou um jardim exuberante no Éden e nele colocou Adão, a fim de *cultivá-lo e guardá-lo* (Gn 2, 15). Esses dois verbos – em hebraico, *abodah* e *shamar* – contêm a vocação primeira do homem. No entanto, ao longo de todo o resto do Antigo Testamento, eles só voltam a aparecer juntos na descrição do serviço sacerdotal da tribo de Levi (cf. Nm 3, 7-8; 8, 26; 18, 5-6), que oferecia sacrifícios e guardava o santuário de Israel contra a violação.

A intenção do autor é nítida para os que leem o livro em hebraico: o mundo foi criado para ser um templo e Adão, para ser seu sacerdote. Seu ofício deveria ser passado de geração a geração, mas Adão abriu mão desse direito hereditário ao cometer o Pecado Original.

Na aurora da Criação, Deus nos outorgou o sacerdócio juntamente com a natureza humana. O sacerdócio está no nosso sangue. Não encontraremos satisfação plena a menos que venhamos a exercê-lo. É para o nosso próprio bem, pois, que buscamos entender qual é o sentido do sacerdócio segundo a Bíblia.

No mundo antigo, os sacrifícios eram essenciais para a religião, e o sacerdote tinha o direito e o dever de oferecê-los. Ele era um mediador entre Deus e o homem. Na era dos patriarcas, religião era assunto de família, e o sacerdócio era passado do pai ao filho primogênito. Quando Deus chamou as tribos de Israel para que saíssemos do Egito, declarou que as tribos deveriam ser *um reino de sacerdotes e uma nação consagrada* (Ex 19, 6). Israel, no entanto, abriu mão do cargo no momento em que o povo passou a adorar o bezerro de ouro. A partir de então, o sacerdócio ficou reservado à tribo de Levi, cujos membros haviam se recusado a fazer parte do culto idólatra.

No tempo de Jesus, os levitas ofereciam sacrifícios no Templo de Jerusalém. Eles trabalhavam em turnos do início ao fim do dia, oferecendo animais sacrificados, grãos, vinho e incenso. Sumamente importante, no entanto, era a primeira oferta do dia. Depois de identificar as primeiras luzes do amanhecer, os sacerdotes davam início ao sacrifício matinal. Tratava-se da queima de um cordeiro jovem, oferecido a Deus enquanto os sacerdotes renovavam as ofertas do incenso. Somente um cordeiro totalmente perfeito e imaculado podia ser usado; por isso, os sacerdotes inspecionavam minuciosamente o animal não somente uma, mas duas vezes. O sangue do cordeiro era coletado em recipientes feitos de metais preciosos e reservado apenas para propósitos sacrificiais. Em seguida, os portões do Templo eram abertos ao som de trombetas de prata.

Com esse ritual matinal, os sacerdotes de Jerusalém se esforçavam simbolicamente por alcançar a retidão que Adão e Israel não tinham observado. Eles ofereciam o dia a Deus mediante a oferta de uma vida em sua totalidade – uma vida cuja pureza havia sido escrupulosamente guardada.

O Novo Testamento apresenta claramente Jesus como um novo Adão (1 Cor 15, 45), um novo sumo sacerdote (cf. Hb 2, 9) e um cordeiro imaculado (Jo 19, 26; 1 Cor 5, 7). São Paulo descreveu-O tanto como sacerdote sacrificial quanto como vítima do sacrifício (cf. Ef 5, 2).

Jesus, no entanto, não exerce seu sacerdócio sozinho. Ele o restituiu à raça humana por meio da Igreja Católica. Cristo *fez de nós um reino de sacerdotes para Deus e seu Pai* (Ap 1, 6; cf. também Ap 5, 10). Ele fez de nós *uma raça escolhida, um sacerdócio régio* (1 Pe 2, 9).

Somos chamados a fazer, como Jesus, da nossa vida uma oferenda, triunfando ali onde Adão falhou e cumprindo o papel que os sacerdotes do Templo simbolicamente prefiguraram. Nós partilhamos do sacerdócio de Cristo porque, por meio do batismo, partilhamos da sua vida – não somente de sua natureza divina (2 Pe 1, 4), mas também da sua natureza humana, que é restaurada em sua integridade. Em Jesus, podemos cumprir aquela vocação sacerdotal primeira que é tanto sagrada quanto secular; podemos santificar a ordem temporal e oferecê-la a Deus, restaurando-a «em Cristo», uma vez que nEle vivemos. Nós a restauramos gradualmente, a começar pelo âmbito que nos foi dado – quer tenha ele um centímetro, um metro ou um quilômetro de extensão. O espaço onde trabalhamos, o espaço onde vivemos – são esses os lugares onde exercemos nosso reinado e nosso sacerdócio. Nosso altar é nossa escrivaninha, nossa estação de trabalho, o remo que usamos para remar, o fosso que cavamos, as fraldas que trocamos, a panela que mexemos, a cama que compartilhamos com nossa esposa. Diz São Paulo: *Tudo é vosso! Mas vós sois de Cristo, e Cristo é de Deus* (1 Cor 3, 22-23).

Uma forma de os católicos colocarem em prática essa vocação sacerdotal é rezando uma oração de «oferecimento de obras» a cada manhã, tão logo se levantem.

No tempo de Jesus, havia uma prece que os judeus devotos rezavam todas as manhãs. Eles ainda a rezam nos dias de hoje, inclusive. Jesus a conhecia de cor e partia do pressuposto de que todos os seus ouvintes estavam familiarizados com ela.

Ouve, Israel, o Senhor nosso Deus é o único Senhor; amarás ao Senhor teu Deus de todo o teu coração, de toda a tua alma, de todo o teu espírito e de todas as tuas forças (Mc 12, 29-30; cf. Dt 6, 4-5).

Os sacerdotes do Templo recitavam essas palavras enquanto ofereciam o sacrifício da manhã, mas esperava-se que todos os judeus, nos quatro cantos da terra, fizessem o mesmo. Aquela era a participação virtual desses judeus no sacrifício perpetrado no Templo. Tratava-se de uma oferta explícita das coisas que Adão não havia oferecido: seu coração *inteiro*, sua alma *inteira*, sua mente *inteira* e *toda* a sua força.

Desde meados do século XIX, a Igreja insta seus membros a fazerem uma oferenda sacerdotal semelhante todos os dias, em união com o Santo Sacrifício da Missa. A oração do oferecimento matinal de obras foi inicialmente fomentada por membros da Sociedade de Jesus, os jesuítas. Finalmente, a oração se tornou pedra angular da espiritualidade de uma instituição chamada Apostolado da Oração, estabelecida para estimular os fiéis a rezarem pelas intenções do Papa, anunciadas mensalmente.

Em 2005, o Sínodo dos Bispos referiu-se a esse tema nos termos de uma «espiritualidade eucarística e santificação do mundo». Portanto, é em Cristo – o Novo Adão – que o povo sacerdotal oferece a Deus uma criação *renovada*. O cosmos voltou a ser um santuário, tendo a humanidade como sua nação de sacerdotes.

> O sentido de toda a vida cristã é a união com Cristo, que oferece a Si próprio ao Pai pela vida da humanidade. Eis a «forma eucarística». É esta a beleza da oferta cotidiana ensinada pelo «Apostolado da Oração», que convida os fiéis a assumirem a «forma eucarística», unindo sua vida com Maria ao coração de Cristo, que oferece a Si próprio pela humanidade[1].

---

(1) Intervenção feita pelo Arcebispo Luciano Pedro Mendes de Almeida, SJ, da cidade de Mariana, Brasil, no Sínodo dos Bispos, 06.10.2005.

Há várias orações disponíveis para serem usadas como oferecimento matinal. Podemos até criar nossa própria versão. A prece difundida pelo Apostolado foi mudando ao longo do último século e meio. Ela é curta, mas é teologicamente rica:

> Ofereço-vos, ó meu Deus, em união com o Santíssimo Coração de Jesus, e por meio do Coração Imaculado de Maria, as orações, obras, sofrimentos e alegrias deste dia, em reparação de nossas ofensas, e por todas as intenções pelas quais o mesmo Divino Coração está continuamente intercedendo e sacrificando-se em nossos altares. Eu vo-los ofereço de modo particular pelas intenções recomendadas pelo Santo Padre o Papa para este mês.

Nossos dias não precisam começar de um jeito trabalhoso, como começavam para os judeus na época do Templo. Não precisamos de recipientes especiais e trombetas para exercer nosso sacerdócio. Nosso Cordeiro já foi sacrificado. Agora, na plenitude dos tempos, podemos recorrer a uma simples prece para começar a restaurar todas as coisas em Cristo (cf. Ef 1, 10).

Medite no coração

O supremo e eterno sacerdote Cristo Jesus, querendo também por meio dos leigos continuar o seu testemunho e serviço, vivifica-o pelo seu Espírito e sem cessar os incita a toda obra boa e perfeita. E, assim, àqueles que intimamente associou à própria vida e missão, concedeu também participação no seu múnus sacerdotal, a fim de que exerçam um culto espiritual, para a glória de Deus e salvação dos homens. Por esta razão, os leigos, enquanto consagrados a Cristo e ungidos no Espírito Santo, têm uma vocação admirável e são instruídos para que os frutos do Espírito se multipliquem neles cada vez mais abundantemente. Pois todos os seus trabalhos, orações e empreendimentos apostólicos, a vida conjugal e familiar, o trabalho de cada dia, o descanso do espírito e do corpo, se forem feitos no Espírito, e as próprias incomodidades da vida, suportadas com paciência, se tornam em outros tantos sacrifícios espirituais, agradáveis a Deus por Jesus Cristo (cf. 1 Pe 2, 5); sacrifícios estes que são piedosamente oferecidos ao Pai, juntamente com a oblação do corpo do Senhor, na celebração da Eucaristia. E, deste modo, os leigos, agindo em toda a parte santamente, como adoradores, consagram a Deus o próprio mundo[2].

– Concílio Vaticano II, século XX

---

(2) Concílio Vaticano II, Constituição dogmática *Lumen gentium*, n. 34.

12. Jaculatórias

Nos primeiros séculos do cristianismo, os monges e os eremitas do deserto faziam jejuns rigorosos enquanto alimentavam suas almas com a Palavra de Deus. Em alguns lugares, rezavam diariamente todos os Salmos. Alguns versículos pareciam expressar os pensamentos do próprio monge – seus medos, alegrias, frustrações e desejos –, de maneira que ele os guardava mentalmente, retomando-os mais tarde como oração durante seus trabalhos manuais.

Se vivemos uma rotina de trabalho, não temos tempo de rezar todos os Salmos diariamente. Tampouco conseguimos trabalhar com atenção se jejuamos da maneira como jejuavam os Padres do Deserto. Todavia, é possível aprender muita coisa se refletirmos sobre o modo como a recitação das Escrituras os levava a uma oração abundante. De fato, o Papa João Paulo II propôs que toda a Igreja recorresse a esse mesmo método, encorajando-nos a memorizar «brevíssimas expressões salmódicas» que podem ser «"lançadas", à maneira de pontas de fogo, por exemplo, contra as tentações»[1].

Isso é de grande ajuda, já que, assim como os monges de outrora, também nós enfrentamos o enorme desafio que Jesus

---

(1) São João Paulo II, Audiência geral, 04.04.2001.

nos propôs: *orar sempre sem jamais deixar de fazê-lo* (Lc 18, 1). São Paulo ecoa o desafio com a exortação para que oremos *sem cessar* (1 Ts 5, 17).

Esse parece ser um pedido desarrazoado, uma exigência impossível, mas não é. Afinal, nem Jesus nem São Paulo tinham a intenção de dizer que devemos *fazer preces* sem cessar. Antes, eles queriam que transformássemos nossas vidas em oração – todas as nossas preces, trabalhos, alegrias e sofrimentos, do mesmo modo como fazemos virtualmente no oferecimento matinal. É bom que renovemos esse oferecimento periodicamente ao longo do dia. Em nossa relação com Deus, queremos ser como jovens namorados que não pensam um no outro apenas quando estão juntos, quando estão trocando mensagens ou falando ao telefone... O amor desses casais é constante e volta-lhes a todo momento à mente em meio às tarefas cansativas do dia a dia. Falo por experiência própria quando digo que o marido pensa frequentemente em sua esposa ao longo das oito horas que passa trabalhando longe de casa – e o faz com espírito de gratidão, admiração, fascínio e, ocasionalmente, de espanto. Tudo isso também pode ser adequadamente aplicado à nossa relação com Deus.

Como povo de oração, precisamos aprender com os jovens namorados. Santo Agostinho descreveu isso muito bem por volta do ano 412, em carta a uma jovem viúva que era mãe de uma família numerosa. Ela queria saber quando voltaria a ter tempo para rezar. Santo Agostinho lhe assegurou que, «ao contrário do que pensam alguns, passar longo tempo em oração não consiste em rezar com muitas palavras. Palavras em profusão são uma coisa; outra é a contínua calidez do desejo»[2].

Mudando um pouco a metáfora: se a oração é como uma chama, as jaculatórias são como a lenha com a qual alimentamos a chama durante o dia. Santo Agostinho adaptou os métodos dos Padres do Deserto para a viúva Proba: «Afirma-se

---

(2) Santo Agostinho, *Cartas*, 130, 10.19-20.

que os irmãos egípcios fazem preces muito frequentes – preces curtas e, por assim dizer, repentinas. [...] Pois, na maioria das vezes, a oração consiste mais em gemidos do que na fala, mais em lágrimas do que em palavras. Deus, contudo, coloca nossas lágrimas diante de Si, e nossos gemidos não passam despercebidos por Ele que criou todas as coisas mediante a Palavra e que não precisa de palavras humanas».

As jaculatórias são perfeitas para preencher aqueles momentos do dia que de outra forma ficariam ociosos: as longas paradas no semáforo, os longos períodos de espera ao telefone, as longas horas de insônia, os longos atrasos na sala de espera... Podemos encarar esses momentos como oportunidades ou aborrecimentos; podemos permitir que alimentem nossa irritação ou nossa fé. A escolha é nossa. E, de fato, isso é algo que temos de escolher, pois a natureza abomina o vácuo. Se não preenchermos nossa mente com orações, ela será preenchida com ansiedades, preocupações, tentações, ressentimentos e lembranças desagradáveis.

Os primeiros cristãos costumavam recorrer a jaculatórias curtas durante as orações, e há evidências disso ao longo de todo o Novo Testamento. Uma das minhas favoritas é o termo aramaico *maranatha*, que significa «Vinde, Senhor!». São Paulo mesmo faz essa oração (cf. 1 Cor 16, 23), e a mesma frase aparece na *Didaquê*, manual eclesiástico do século I d. C.

Para as gerações seguintes, o Novo Testamento serviu como uma espécie de arca do tesouro repleta de jaculatórias.

Senhor, Tu sabes tudo, tu sabes que te amo (Jo 21, 17).

Não se faça o que eu quero, mas sim o que tu queres (Mt 26, 39).

Jesus, filho de Davi, tem compaixão de mim! (Mc 10, 47).

A Deus tudo é possível (Mt 19, 26).

Importa que Ele cresça e que eu diminua (Jo 3, 30).

De pedintes cegos a apóstolos castigados, os personagens do Evangelho frequentemente desejaram expressar emoções intensas com poucas palavras, uma vez que Cristo estava por perto, de passagem. Eles nos ensinam a ir direto ao ponto; oferecem-nos, inclusive, palavras certeiras para que as tenhamos sempre conosco, como flechas na aljava.

E há também os Salmos, os quais, como bem sabiam os Padres do Deserto, contemplam uma vasta gama de sentimentos que os homens poderão expressar quando em oração:

Depressa, Senhor, vinde em meu auxílio (Sl 70, 2).

Senhor, mostrai-me os vossos caminhos (Sl 25, 4).

Ó meu Deus, criai em mim um coração puro (Sl 51, 12).

Louvai o Senhor [...]. *Ele cura os que têm o coração ferido* (Sl 147, 1.3).

Minha alma está sedenta de vós (Sl 63, 2).

Também a liturgia nos fornece expressões profundas que podemos utilizar em momentos de adoração, ação de graças, contrição ou súplica. São Francisco de Sales recomendava que rezássemos nossos versos favoritos dos hinos litúrgicos. Nesse caso, há ainda o benefício extra da melodia, que conserva as orações em nossas mentes e em nossos lábios.

Ao mesmo tempo, São Francisco também nos alertava para que não nos limitássemos às palavras das orações formais. Temos a liberdade de usá-las à nossa maneira, e assim devemos fazê-lo. Do mesmo modo, podemos criar nossas jaculatórias do zero: «Contenta-te em dizer com o coração ou com os lábios tudo quanto o amor te inspira no momento, pois ele te inspirará tudo o que podes desejar»[3].

---

(3) São Francisco de Sales, *Introdução à vida devota*, II, 13.

Podemos até mesmo, como faziam os santos, nos basear na natureza, pois a terra de fato proclama a glória de Deus. É preciso cultivar o hábito de submeter tudo aquilo que vemos, sentimos e ouvimos ao Deus que o criou: o canto dos pássaros, o soprar do vento, o cair da chuva, o calor do sol ao meio-dia... São Gregório Nazianzeno, bispo e poeta do século IV, manifestou o desejo de orientar todas as coisas do mundo para seu próprio benefício espiritual. Eis uma maneira bastante desejável de explorar nossos recursos naturais!

Medite no coração

Eleva muitas vezes o teu espírito e coração a Deus [...] por jaculatórias breves e ardentes. Admira a excelência infinita de suas perfeições, implora o auxílio de seu poder, adora a sua divina majestade, oferece-lhe tua alma mil vezes por dia, louva sua infinita bondade, lança-te em espírito aos pés de Jesus crucificado, interroga-o muitas vezes sobre tudo aquilo que concerne à tua salvação, saboreia interiormente a doçura do seu espírito, estende-lhe a mão, como uma criancinha a seu pai, pedindo-lhe que te guie e conduza; põe a sua Cruz no teu peito, como um delicioso ramalhete, põe-na em teu coração, como uma bandeira debaixo da qual tens que combater o inimigo; numa palavra, volve teu coração para todos os lados e dá-lhe todos os movimentos que puderes, para excitá-lo a um amor terno e ardoroso ao teu Esposo divino.

[...] E é de notar bem que este exercício nada tem de difícil e não é incompatível com tuas ocupações; só o que é necessário são alguns momentos de atenção, o que, longe de perturbar ou diminuir a atenção do espírito aos negócios, a torna mais eficaz e suave. O viajante que toma um pouco de vinho, para refrescar a boca e alegrar o coração, não perde o seu tempo, porque renova as forças e se detém apenas para depois andar mais depressa e percorrer um caminho maior.

[...] Cabe aqui o exemplo de pessoas que se amam com um amor humano e natural; tudo nelas se ocupa desse amor – o espírito, a memória, o coração e a língua. Quantas lembranças e recordações! Quantas reflexões! Quantos enlevos! Quantos louvores e protestos! Quantas conversas e cartas! Está-se sempre querendo pensar e falar disso, e até nas cascas das árvores, nos passeios, há de se inscrever uma qualquer coisa. Assim, aqueles que estão possuídos do amor a Deus só respiram por Ele e só aspiram ao prazer de amá-lO; nunca deixam de falar e pensar nEle [...].

Nada há neste mundo que não lhes fale dos atrativos do divino amor e não lhes anuncie os louvores do seu Dileto. Sim – diz Santo Agostinho, depois de Santo Antão –, tudo o que existe neste mundo lhes fala de Deus na eloquência duma linguagem muda, mas muito compreensível à inteligência deles, e seu coração transforma estas palavras e pensamentos em aspirações amorosas e em doces surtos, que os elevam até a Deus[4].

– São Francisco de Sales, século XVII

---

(4) *Idem, ibidem.*

13. Ângelus

Moisés teve uma vida longa e repleta de episódios dramáticos. Um dos mais famosos – e com razão – tem a ver com o papel que ele desempenhou na grande batalha entre Israel e Amalec. Já bastante idoso, Moisés assistiu à batalha do alto de uma colina. *Quando Moisés tinha a mão levantada*, num gesto de humilde oração, *Israel vencia, mas logo que a abaixava, Amalec triunfava* (Ex 17, 11). Bem no meio da batalha, seus braços ficaram cansados e começaram a baixar. Seu irmão Aarão e seu amigo Hur se aproximaram e apoiaram suas mãos para que elas ficassem firmes até o fim da batalha. Israel, é claro, conquistou a vitória.

Nós, que não possuímos a grandeza de Moisés, também podemos ficar cansados no meio das nossas lutas diárias. Por isso, fazemos uma pausa ao meio-dia para renovar em oração nosso debilitado esforço. A tradicional oração católica do meio-dia é chamada de Ângelus. Trata-se de uma oração para duas ou mais vozes – versos com respostas, acompanhados sempre de uma «Ave-Maria» –, mas também é possível rezá-la sozinho.

Os versos e as respostas são bíblicos: advêm da história da concepção de Jesus, tal qual narrada pelos Evangelhos de Lucas (cf. Lc 1, 26-28; 1, 38) e João (cf. Jo 1, 14). Assim, no ponto de inflexão de cada dia, lembramo-nos daquele que foi o ponto de inflexão da história da humanidade, isto é, o momento em que um anjo apareceu a uma jovem chamada Maria e revelou-lhe que Deus planejava enviar o Messias ao mundo como seu filho. Toda a história subsequente, e tudo aquilo que foi criado por Deus, girou em tornou da resposta de Maria.

Angelus é a forma latina para «anjo»; trata-se da primeira palavra a aparecer na oração em latim. Eis uma tradução comumente usada em português:

V/. O Anjo do Senhor anunciou a Maria.
R/. E Ela concebeu do Espírito Santo.
Ave, Maria, cheia de graça...
V/. Eis aqui a serva do Senhor.
R/. Faça-se em mim segundo a Vossa palavra.
Ave, Maria, cheia de graça...
V/. E o Verbo se fez carne.
R/. E habitou entre nós.
Ave, Maria, cheia de graça...
V/. Rogai por nós, Santa Mãe de Deus.
R/. Para que sejamos dignos das promessas de Cristo.

Oremos. Infundi, Senhor, nós Vos pedimos, em nossas almas a Vossa graça, para que nós, que conhecemos pela Anunciação do Anjo a Encarnação de Jesus Cristo, Vosso Filho, cheguemos por sua Paixão e sua Cruz à glória da ressurreição. Pelo mesmo Jesus Cristo, Senhor Nosso. Amém.

Embora os católicos geralmente recitem o Ângelus ao meio-dia, alguns o fazem também às seis da manhã e às seis da tarde. É por isso que as igrejas tocam o «sino do Ângelus» nesses horários (e é por essa razão que, na Idade Média, havia o costume de gravar o nome do anjo Gabriel nos sinos das igrejas).

Durante os cinquenta dias que vão do domingo de Páscoa ao domingo de Pentecostes, substituímos o Ângelus pelo *Regina caeli* («Rainha do céu», em latim), sem alterar o horário (ou os horários) das recitações.

V/. Rainha do céu, alegrai-vos, aleluia.
R/. Porque quem merecestes trazer em vosso seio, aleluia.
V/. Ressuscitou como disse, aleluia.
R/. Rogai a Deus por nós, aleluia.
V/. Exultai e alegrai-vos, ó Virgem Maria, aleluia.
R/. Porque o Senhor ressuscitou verdadeiramente, aleluia.

Oremos. Ó Deus, que Vos dignastes alegrar o mundo com a ressurreição do Vosso Filho Jesus Cristo, Senhor Nosso, concedei-nos, Vos suplicamos, que por sua mãe, a Virgem Maria, alcancemos as alegrias da vida eterna. Por Cristo, Senhor Nosso. Amém.

Os cristãos sempre fizeram uma pausa para rezar ao meio-dia. No tempo dos apóstolos, essa era a chamada prece da «hora sexta», contada a partir do nascer do sol. São Pedro estava fazendo as orações do meio-dia quando recebeu uma revelação do Senhor (cf. At 10, 9).

Também na hora sexta Jesus foi crucificado (cf. Lc 23, 44), tendo os braços esticados como os de Moisés – e no alto de uma outra colina. Em oração, Ele perseverou e venceu até mesmo a morte.

Os primeiros cristãos recordavam esses acontecimentos bíblicos (e outros que os precederam) enquanto ofereciam suas costumeiras orações ao meio-dia; a prática foi registrada por Tertuliano já no século II[1].

Se nos sentimos fracos ou cansados ao meio-dia, se estamos irritados com nossos familiares ou colegas de trabalho, se vemo-nos desmotivados porque tudo parece estar contra nós, podemos nos voltar para Maria sabendo que também temos a possibilidade de confiar na ajuda dos anjos e na Providência de Deus, que tem um plano para nós. Assim como Moisés, podemos renovar nossas orações com apoio sobrenatural e testemunhar a vitória de Deus em nossos corações durante o resto do dia.

Medite no coração

As nossas palavras acerca do *Angelus Domini* intentam ser uma simples mas férvida exortação a que se mantenha a costumada recitação, onde e quando isso for possível. Tal exercício de piedade não tem necessidade de ser restaurado: a estrutura simples, o caráter bíblico, a origem histórica que a liga à invocação da incolumidade na paz, o ritmo quase litúrgico que santifica momentos diversos do dia, a abertura para o Mistério Pascal, em virtude da qual, ao mesmo tempo que comemoramos a Encarnação do Filho de Deus, pedimos para ser conduzidos, «pela sua Paixão e morte na Cruz, à glória da ressurreição», fazem com que ele, à distância de séculos, conserve inalterado o seu valor e intacto o seu frescor. É certo que alguns usos, tradicionalmente coligados com a recitação do *Angelus Domini*, desapareceram ou dificilmente podem manter-se na vida moderna; mas trata-se de elementos marginais. Resta, pois, imutado o valor da contemplação do mistério da Encarnação do Verbo, da saudação à Virgem Santíssima e do

---

(1) Cf. Tertuliano, *Da oração*, 25.

recurso à sua misericordiosa intercessão; e, não obstante terem mudado as condições dos tempos, permanecem invariados também, para a maior parte dos homens, aqueles momentos característicos do dia, a manhã, meio-dia e tarde, que assinalam os tempos da sua atividade e constituem um convite a uma pausa de oração[2].

– São Paulo VI, século XX

---

(2) São Paulo VI, Exortação apostólica *Marialis cultus*, n. 41.

14. Bênção dos alimentos

No Capítulo 1, falamos da água como «sacramento» presente em todas as fases da Criação. No tempo da natureza, tratava-se de um «sacramento natural» – sinal de algo maior que ainda estava por vir. No tempo da graça, tornou-se sacramento sobrenatural – o batismo, responsável por conferir-nos vida divina. No tempo da glória, os signos darão lugar ao significado, e conheceremos o *rio de água viva* (Ap 22, 1) que está no céu, que é a graça do Espírito Santo.

O que se aplica à água também se aplica ao «pão nosso de cada dia». São Tomás de Aquino observou que o pão, a exemplo da água, sempre sustentou o homem na ordem da natureza. Todavia, em seu estado «natural», também serviu como prefiguração do pão ázimo da Páscoa Judaica e do maná que caiu do céu no deserto. Estes, por sua vez, prefiguraram a Sagrada Eucaristia, por Jesus estabelecida no tempo da graça. São Tomás explica: «Cada um simboliza o alimento espiritual. Diferem, no entanto, pois [o maná] era apenas um símbolo», enquanto a Eucaristia dos cristãos contém aquilo que simboliza, «isto é, o Cristo mesmo».

Para o povo de Israel, o pão era um componente fundamental das refeições; sem ele, elas estariam incompletas. De fato, para a maioria das famílias, o pão era a parte mais substancial da refeição; carne era um item de luxo. Por isso, as preces habitualmente entoadas antes das refeições eram chamadas, à época, de «bênção do pão». Tratava-se da bênção que transformava um fato natural – o ato de comer – num acontecimento sagrado.

A antiga prece que os judeus faziam à mesa soa familiar aos católicos, uma vez que teve profunda influência sobre a Missa. As primeiras liturgias cristãs – a liturgia siríaca de Addai e Mari, bem como a liturgia egípcia de São Marcos – trazem o texto dessa prece mais ou menos intacto:

> Bendito sois Vós, Senhor Deus, Rei do universo. Vós alimentais o mundo inteiro com Vossa benevolência, com Vosso terno amor e Vossa misericórdia. Bendito sois Vós, Senhor, que alimentais o universo. Nós Vos damos graças, Senhor, nosso Deus...

Cada refeição, portanto, era uma celebração da Criação de Deus e da Providência. Por meio das preces comuns, cada refeição se unia às refeições históricas dos ancestrais: à hospitalidade de Abraão em relação a seus três visitantes celestiais (Gn 18, 1-8), à mesa do rei no Monte Sião (2 Sm 9, 13), ao banquete de pão e vinho oferecido pela Sabedoria (Pr 9, 1-5), ao festim da plenitude no profeta Isaías:

> *O Senhor dos exércitos preparou para todos os povos, nesse monte, um banquete de carnes gordas, um festim de vinhos velhos, de carnes gordas e medulosas, de vinhos velhos purificados. [...] Vós, porém, fareis retumbar vossos cânticos, como na noite em que se celebra festa* (Is 25, 6; 30, 29).

A invocação do Senhor também era uma evocação do Templo, local onde se viam os sacrifícios perpétuos como «refeições feitas na presença de Deus»[1].

---

(1) Baruch Levine, *Leviticus*, Jewish Publication Society, Filadélfia, 1989, pág. xxxviii.

O Novo Testamento nos mostra Jesus levando todas essas refeições à plenitude. Notam os comentadores que o Evangelho de São Lucas traz dez cenas de refeições, culminando na Última Ceia e na Eucaristia em Emaús. Já vimos como essa refeição da Nova Aliança estabeleceu a comunhão, a *chaburah*, não apenas entre os representantes do povo de Deus, como também entre Deus e os homens. Ora, não se trata apenas de uma refeição realizada na presença de Deus, mas de uma refeição compartilhada com o próprio Deus e que tem Deus mesmo como sua substância.

É esta, no tempo da graça, a imagem do banquete que os santos conhecem no céu. Quando rezamos antes (ou depois) das refeições, transformamos nossas refeições domésticas em família – e mesmo as refeições que fazemos sozinhos – em «sacramentos» do banquete de Deus.

A oração confere a cada refeição uma importância e uma dignidade que de outro modo poderiam lhe faltar. Talvez por isso os apóstolos (que eram judeus) enfrentassem dificuldades para explicar a solenidade das refeições sagradas aos pagãos conversos (cf. 1 Cor 11, 17-34; Jd 1, 12).

Isso não significa que nossas refeições em família ou entre amigos devam ser sisudas, tristes ou excessivamente formais. Ao contrário: a oração deve aumentar nossa alegria, pois a consciência da presença de Deus certamente nos inspira a amar ainda mais e melhor aqueles que estão à nossa volta. Além disso, também é provável que comamos com mais parcimônia.

Às vezes surge a pergunta: devemos rezar em lugares públicos ou quando comemos com um grupo em que há tanto cristãos quanto não cristãos? Penso que é sempre bom rezar, mesmo que ofereçamos nossa prece em silêncio, enquanto fazemos o sinal da cruz de maneira comedida. Esse gesto simples pode ter um efeito profundo sobre os que estão ao redor; já chegou, inclusive, a ser princípio de conversão para algumas pessoas que o testemunharam. Não devemos jamais menosprezar o poder desses testemunhos públicos. Às vezes, um gesto silencioso fala mais (e com mais eloquência) do que mil palavras entoadas numa esquina qualquer. Isso é verdade sobretudo quando o gesto em questão é tão representativo da Eucaristia – e de cada refeição do Antigo e do Novo Testamento que encontra na Eucaristia sua plenitude. A oração antes das refeições pode ser um vetor poderoso da graça de Deus.

Não é preciso muito esforço. Há muitas preces à disposição, e podemos até mesmo criar a nossa. A mais comum diz: «Abençoai-nos, Senhor, a nós e a estes dons que da vossa liberalidade recebemos. Por Cristo, Senhor Nosso».

Quanto à prece para depois das refeições, a mais comum é semelhante: «Nós Vos damos graças, Deus onipotente, por todos os vossos benefícios, Vós que viveis e reinais por todos os séculos dos séculos».

Medite no coração

Senhor, nosso Deus, Vós sois o Pão que se come no céu, o Pão que dá a vida, o Alimento que verdadeiramente nutre o mundo inteiro. Vós, que descestes dos céus e nos destes a vida no mundo; Vós, que nos guiais pelos caminhos da existência; Vós, que nos prometestes outro Alimento depois deste; abençoai, pois, nossos alimentos e nossa bebida e permiti que os tomemos sem pecar. Que possamos recebê-los com gratidão e glorificar-Vos por eles, pois sois Vós quem nos concede todos os dons. Bendito, glorificado e sempre digno de honra é o Vosso nome[2].

– Anônimo, antigo livro grego de orações

---

(2) Citado em A. Hamman (org.), *Early Christian Prayers,* Regnery, Chicago, 1961, pág. 147.

15. Exame de consciência

Há, na contabilidade, uma máxima muito conhecida por quem controla seus gastos: o controle precisa ser feito com regularidade. É preciso ter atenção ao que gastamos no supermercado, em entretenimentos e em serviços, por exemplo. Se o seu grande problema é a conta de luz, você precisa ficar de olho no ar-condicionado todos os dias, e não somente na última semana do mês. As empresas fazem a mesma coisa. A contabilidade é para elas como um estilo de vida; seu mundo gira em torno de recibos, livros fiscais, relatórios de gastos e cálculos de depreciação.

No mercado da salvação, também é preciso fazer alguma contabilidade. No Apocalipse, São João evoca algo como um livro-razão ao falar sobre o Livro da Vida. Bem, a menos que façamos certa contabilidade diária, não seremos capazes de promover melhorias diárias ou mensais, e é improvável que tenhamos algum lucro para mostrar no dia da auditoria final.

Nossa «contabilidade espiritual» diária chama-se exame de consciência. Trata-se do tempo que dedicamos para rever os acontecimentos do dia, bem como nossos pensamentos, atos e palavras. Nele, tentamos ver o dia tal como Deus o vê e julgar nossas ações como Ele as julgaria. Temos com isso uma chance de ser totalmente honestos com nós mesmos no que diz respeito ao que somos, ao que fazemos e às motivações por trás dos nossos atos. O exame nos faz mais conscientes de nosso progresso – ou regresso – e nos mantém focados na realidade.

Os autores de livros espirituais costumam dividir o exame em duas partes: uma *geral* e outra *particular*. O exame geral consiste numa revisão abrangente do dia – do que fizemos, do que pensamos, do que sentimos, do que dissemos e do que não conseguimos fazer. No exame particular, avaliamos como estamos indo numa batalha específica – a de resistir a determinado pecado, por exemplo, ou a de adquirir alguma virtude. São Josemaria Escrivá disse bem: «O exame geral assemelha-se à defesa. – O particular, ao ataque. – O primeiro é a armadura. O segundo, espada toledana»[1]. A maioria das pessoas faz o exame geral perto da hora de dormir, de maneira que ele possa ser mais completo. Há pessoas que fazem o exame particular ao meio-dia (juntamente com o Ângelus), a fim de redobrar os esforços durante a segunda metade do dia.

A melhor maneira de começar é recolher-se na presença de Deus, recordar que Ele está conosco, dando então início à conversa. Se fizermos isso, dificilmente seremos desonestos no exame. Afinal, a quem tentaremos enganar? Certamente não a Deus, que tudo sabe e tudo vê.

Em seguida, devemos pedir a Deus que nos ilumine para vermos nosso dia tal como Ele o vê – não como gostaríamos que o dia tivesse sido, e sim como nós o vivemos em nosso coração. Podemos fazer do dia uma revisão cronológica, desde o momento em que acordamos até agora; ou, então, podemos repassar cada um dos dez mandamentos e pensar em como os vivemos. Alguns manuais de oração contêm perguntas para o exame, e elas podem ser muito úteis. Também podemos compilar nossa própria lista de perguntas, baseada nos conselhos que recebemos de nossos cônjuges, de nossos amigos ou de nosso diretor espiritual.

---

(1) São Josemaria Escrivá, *Caminho*, 11ª ed., Quadrante, São Paulo, 2016, n. 238.

Três minutos é tempo suficiente para refletir sobre o dia todo. Devemos nos concentrar em todas as nossas ações durante o dia, e não apenas nas grandes. Se nos perdoamos pelas «pequenas coisas» (pelas «pequenas» mentiras, pelos «pequenos» incidentes de gula, pelo «pequeno» – e deliberado – olhar dirigido a uma propaganda com nudez), jamais seremos capazes de fazer coisas grandes, ou mesmo coisas medianas, para Deus; antes, permaneceremos presos ao pecado e à mediocridade.

Ao final do exame, devemos dizer a Deus que estamos arrependidos e pedir perdão a Ele mediante um ato de contrição. Pode ser o ato que aprendemos na escola, ou então uma jaculatória curta, como: «Senhor Jesus Cristo, Filho de Deus, tem piedade de mim, que sou pecador». Em seguida, faça resoluções para o dia seguinte. Você pode inclusive escrevê-las, para não as esquecer durante o sono.

Se há algo que não devemos fazer é desistir. Permaneça firme no exame e converse com Deus sobre o assunto. Peça ajuda a Ele. Pode levar anos até que tenhamos conquistado uma virtude ou abandonado um hábito nocivo, mas, com a ajuda de Deus, venceremos.

Quando tivermos identificado a virtude que desejamos adquirir ou o vício que precisamos abandonar, teremos então material para nosso exame particular. Aqui, o melhor é ser bem específico e definir objetivos firmes e realistas. Algumas pessoas são dadas ao pessimismo, a atitudes negativas e ao desespero. Pode ser que precisem refletir com muita calma sobre como estão vivendo a virtude da esperança. Quando dão opinião sobre acontecimentos mundanos – ou sobre assuntos corporativos, ou sobre a economia –, será que elas soam como discípulos obscuros da melancolia e do fatalismo? Ou soam como filhos de Deus, que sabem que o mundo está nas mãos de seu Pai bondoso?

Outras precisarão se concentrar em pecados distintos: orgulho e presunção, luxúria, mentira, inveja... Ou ainda, em atitude mais positiva, nas virtudes correspondentes: humildade e resignação, pureza, honestidade, magnanimidade...

O exame particular é um bom momento para pôr em prática os conselhos recebidos de nosso diretor espiritual. Ele pode nos ajudar a focar na falha que mais necessita da nossa atenção no momento. Ninguém quer perder tempo tirando pó das prateleiras se o teto da casa está prestes a cair. Um bom diretor espiritual nos apontará o teto que está se desfazendo, isto é, o pecado que talvez estejamos ignorando até mesmo em nossas orações.

São Tomás de Aquino dizia que uma memória sincera é o primeiro pré-requisito para todas as outras virtudes. Não devemos, pois, subestimar a importância do exame de consciência. Dada a nossa natureza decaída, tendemos ao autoengano. Queremos acreditar em coisas boas sobre nós mesmos, sobre nossas ações e motivações. Tentamos encobrir o que há de desagradável no que pensamos, dizemos e fazemos, e para isso inventamos desculpas ou tergiversações. O grande perigo, no entanto, está em que chega um momento em que começamos a acreditar na nossa própria mentira. Essa falsificação da memória é um dos nossos inimigos mais letais. Ela oculta as placas de sinalização nos caminhos que levam ao inferno.

Depois de algum tempo dedicando-nos ao exame, notamos que ele deixa de ser um acontecimento isolado em nossos dias e passa a ser um hábito, uma prática que realizamos de hora em hora, a cada atitude. Passamos a ver mais claramente que toda a nossa vida, em seus pensamentos e obras, transcorre sob o olhar de Deus. Com isso, podemos identificar imediatamente se determinada ação está tomando um rumo certo ou errado. Acostumamo-nos a submeter nossas conversas, nosso trabalho e nossas escolhas ao Senhor.

São Paulo insistia (cf. 1 Cor 11, 28-31) em que *cada um se examine a si mesmo* antes de receber a Sagrada Comunhão. Ele alertava para que a lassidão no autoexame estava levando as pessoas a receberem Jesus sem o devido merecimento: *Esta é a razão por que entre vós há muitos adoentados e fracos, e muitos mortos*. Não queremos que nada disso ocorra conosco.

Se examinamos nossa consciência regularmente, será natural que também desejemos nos confessar regularmente. Acorreremos à Confissão prontos para dizer nossos pecados a Deus e receber o perdão que reconforta. Por se tratar de um sacramento, a Confissão nos confere graças em abundância. A graça é a força de que precisamos para vencer os pecados – tanto no âmbito geral quanto no particular.

Medite no coração

1. Pela manhã, tão logo acorde, determine-se a ficar alerta para não incorrer na falta específica que deseja corrigir.
2. Ao longo do dia, ao notar que cometeu uma falta, de imediato recorra a uma oração interior [...] para pedir a Deus perdão; com a mão no coração, prometa ser mais atento no futuro.
3. À noite, quando do exame geral, e depois de ter feito uma análise abrangente de todas as suas faltas, dê especial atenção a essa.
4. Compare o segundo dia com o primeiro, o terceiro com o segundo, [...] e assim por diante. Dessa maneira, você saberá se está progredindo ou não em virtude e se está tirando bom proveito do exame particular.
5. Você também pode fazer de alguma virtude o tema de um exame particular. Os que fazem o exame particular e o geral ao se deitarem à noite (bem como durante o dia) redobram o passo e, em período reduzido, conseguem ir mais longe na senda da virtude[2].

– Angelo Roncalli (futuro Papa João XXIII),
século XX

---

(2) São João XXIII, «Pequenas regras de vida ascética», em *Diário da alma*.

Parte IV
Lições de vida

16. Estudo da Bíblia

Como católicos, acreditamos que a Bíblia é a forma escrita da Palavra de Deus. Ela é *inspirada por Deus* (2 Tim 3, 16); não é uma letra morta, mas *viva, eficaz* (Heb 4, 12), e *é necessário que* [ela] *se cumpra* (Lc 22, 37) e não seja desprezada (cf. Jo 10, 35). Além disso, a Bíblia não está sujeita à mera interpretação pessoal (cf. 2 Pe 1, 20), mas ao discernimento da Igreja, uma vez que alguns podem facilmente deturpar a Escritura *para a sua própria ruína* (2 Pe 3, 16).

A Bíblia é uma espada de dois gumes; é afiada (cf. Hb 4, 12) e, como tal, deve ser manejada com cuidado. Não obstante, deve ser manejada. A própria Palavra nos exorta a praticar o estudo bíblico (1 Tm 4, 13) e elogia aqueles que *todos os dias analisavam a Escritura* (At 17, 11).

No que diz respeito às oportunidades de estudo bíblico, vivemos num tempo sem precedentes. Nunca houve tanta gente com acesso imediato às Escrituras. Vale lembrar que, durante boa parte da história do cristianismo, a maioria das pessoas não sabia ler, e muitos daqueles que *sabiam* não tinham dinheiro para comprar seus próprios livros. Nos séculos anteriores à invenção da prensa móvel (século XV), os livros precisavam ser copiados à mão, num processo trabalhoso e caro.

Hoje, por sua vez, até os cristãos mais *humildes* podem ter sua própria Bíblia. Há edições pequenas, que cabem na bolsa (ou no bolso) e que podemos levar conosco para todo lugar. Todo tempinho livre pode se tornar um bom momento para estudar as Escrituras.

Se ficamos confusos, podemos pedir ajuda – com uma facilidade, volto a dizer, sem precedentes. As Bíblias digitais permitem que façamos buscas nas Escrituras com uma rapidez e precisão que os antigos pensariam ser impossíveis na vida temporal. Em segundos, realizamos pesquisas que os Padres da Igreja não conseguiriam ter feito ao longo de uma vida inteira.

No entanto, mesmo com todos esses avanços, os estudos parecem indicar que a instrução bíblica encontra-se em declínio – e há poucas diferenças entre católicos e protestantes no que diz respeito aos hábitos de leitura da Bíblia.

E por que a instrução bíblica sofre esse declínio aparentemente universal? Creio eu que seja porque os cristãos perderam o hábito de «ler a Bíblia a partir do coração da Igreja».

Essa frase pode ter muitos significados, todos eles verdadeiros. Ela sugere um conjunto de inclinações que devemos ter ao nos aproximarmos das Escrituras: somos filhos fiéis de Deus e da Igreja, nossa mãe. Lemos as páginas sagradas no seio de uma comunidade que é muito maior do que qualquer grupo de estudo bíblico local. Nosso «grupo de estudo» é a comunhão dos santos, as vozes da Tradição católica, a grande nuvem de testemunhas de toda a história. Nosso guia é o Espírito Santo, que age por meio dos bispos da Igreja e do Papa.

Sobretudo, devemos ler a Bíblia em seu *habitat* natural e sobrenatural. Devemos lê-la à luz da liturgia.

A Bíblia e a liturgia foram feitas uma para a outra. Essa afirmação pareceria óbvia para os apóstolos e os Padres da Igreja. Não havia prensas móveis naquela época, e poucas pessoas, como dissemos, tinham dinheiro para comprar livros copiados à mão. Por isso, o que a maioria das pessoas fazia não era exatamente ler as Escrituras, mas sim absorvê-las, e em geral na Missa. A própria Missa serve como um incrível compêndio de textos bíblicos, e ela sempre incluiu extensas leituras advindas de ambos os Testamentos.

Na Igreja primitiva, a Bíblia era considerada um livro litúrgico. Com efeito, o cânone, lista oficial de livros bíblicos, foi originalmente pensado para delimitar os textos que podiam ser usados na Missa.

Essa conexão, no entanto, vai ainda mais longe, pois os próprios textos bíblicos pressupõem o contexto da Missa. Os apóstolos e evangelistas parecem escrever tendo a proclamação litúrgica em mente.

Se lemos a Bíblia da maneira como eles a escreveram, nossa leitura será feita a partir do coração da Igreja, e esse coração é eucarístico. É o coração de Jesus.

Em 1970, a Igreja Católica revisou seu lecionário – a ordem das leituras bíblicas realizadas na Missa. Hoje, as leituras se desenrolam ao longo de um ciclo de três anos e incluem quase todos os livros de ambos os Testamentos. Esse sistema demonstrou tamanha efetividade na comunicação da Palavra de Deus que também tem sido adotado e adaptado por várias denominações protestantes.

A grande vantagem do lecionário está em que ele não apenas apresenta as Escrituras, mas também nos ensina um método de compreensão bíblica. Semanalmente – quase diariamente –, as leituras apresentam os movimentos da Revelação desde o Antigo até o Novo Testamento, seu consistente padrão de promessa e realização. O Novo Testamento está oculto no Antigo, e o Antigo é revelado no Novo.

É por isso que sou otimista em relação ao estudo bíblico católico: porque a Missa nos permite construir sobre uma base sólida, partindo de métodos experimentados e aprovados pelo tempo.

Além disso, muitos católicos estão expostos a esse programa de estudo, ainda que apenas de maneira intermitente. A Missa é justamente aquilo que os católicos devem vivenciar a cada semana ao longo da vida; a Bíblia, por sua vez, é justamente o livro que eles ouvem quando vão à Missa. Como as Missas de domingo e as que ocorrem em dias santos geralmente incluem três leituras advindas dos dois Testamentos, bem como uma quarta leitura dos Salmos, o fiel católico passa em média quinze horas por ano dedicando-se ao estudo bíblico. Se incluímos aí as outras partes claramente bíblicas da missa (o «Santo, Santo, Santo», o «Cordeiro de Deus», o «Senhor, tende piedade», e assim por diante), esse tempo médio duplica ou triplica. Para o católico que vai à Missa diariamente, a somatória de horas é bastante notável, competindo até com o tempo de estudo de alguns acadêmicos.

Volumes e mais volumes já foram escritos pelos estudiosos a fim de ensinar às pessoas o que significa ler a Bíblia com fé, e santos e mais santos dedicaram vidas inteiras a esse propósito. Aqui, ofereço apenas uma breve palavra sobre sua interpretação – três princípios curtos que foram decretados pelo Concílio Vaticano II e que aparecem resumidos no *Catecismo da Igreja Católica*:

1. Prestar muita atenção «ao conteúdo e à unidade da Escritura inteira» (n. 112).
2. Ler a Escritura dentro da «Tradição viva da Igreja inteira» (n. 113).
3. Estar atento «à analogia da fé» (n. 114).

O primeiro critério da Igreja evita que tiremos os versículos de seus contextos, fazendo-os significar algo diferente daquilo que seu autor divino e seus autores humanos pretendiam dizer. O verdadeiro contexto de cada versículo bíblico está no livro em que ele se encontra – não apenas no livro da Bíblia em questão, mas também no livro que a própria Bíblia é. O contexto literário completo de qualquer versículo das Escrituras inclui todos os livros, do Gênesis ao Apocalipse, uma vez que a Bíblia é um livro unificado, e não somente uma biblioteca composta de livros diferentes.

O segundo critério situa firmemente a Bíblia no contexto de uma comunidade que valoriza a «Tradição viva». Essa comunidade é a Comunhão dos Santos. Nós testamos nossas próprias interpretações ao avaliá-las a partir da tradição de intérpretes que vieram antes de nós. G. K. Chesterton chamou este princípio de «democracia dos mortos». Nós acreditamos que nossos ancestrais têm muito a nos ensinar e que eles também devem ter direito a voto. Isso nos protege da arrogância que está sempre à espreita quando acreditamos ter atingido o ápice do conhecimento e do discernimento. Os católicos devem ter humildade para aprender com o passado e para saber que a Tradição está *viva* ainda hoje, na pregação dos santos e nos ensinamentos da Igreja. As modas acadêmicas vêm e vão; a verdade, por sua vez, permanece inalterada.

O terceiro critério nos leva a examinar os textos bíblicos no quadro da totalidade da fé católica. Se cremos que as Escrituras têm inspiração divina, também devemos crer que são internamente coerentes e compatíveis com toda a doutrina do catolicismo. Os dogmas da Igreja não foram acrescentados às Escrituras. Nas palavras do Cardeal Joseph Ratzinger (futuro Papa Bento XVI): «O dogma é interpretação da Escritura»[1]. Os dogmas são as interpretações *infalíveis* da Igreja sobre as Escrituras.

Ninguém está mais bem preparado para o estudo bíblico do que o católico devoto. Não é preciso ter doutorado (embora eu dê graças a Deus pelos fiéis católicos que decidem ir tão longe em seus estudos: que essa tribo possa crescer em número!). Ao longo dos séculos, no entanto, muitos santos tiveram de se contentar com oportunidades bem mais humildes do que as que você e eu temos hoje. Na Igreja, desfrutamos de tudo aquilo de que precisamos para entender as Escrituras e traçar nosso próprio caminho rumo à santidade.

---

(1) Joseph Ratzinger, *Dogma e anúncio,* São Paulo, Edições Loyola, 2007, pág. 54.

Medite no coração

Eu me lembro de Viktors, nosso padre letão que, durante o regime soviético na Letônia, foi preso por portar a Santa Bíblia. Aos olhos dos agentes soviéticos, as Sagradas Escrituras eram um livro antirrevolucionário. Os agentes atiraram sua Bíblia no chão e ordenaram que o padre pisasse sobre ela. O padre recusou-se a fazê-lo e, em vez disso, ajoelhou-se e beijou o livro. Por esse gesto, foi condenado a dez anos de trabalhos forçados na Sibéria. Dez anos depois, quando retornou à sua paróquia e celebrou a Santa Missa, ele leu o Evangelho. Em seguida, ergueu o lecionário e disse: «Palavra do Senhor!». As pessoas choraram e deram graças a Deus; não ousaram aplaudi-lo, uma vez que o gesto seria entendido como nova provocação.

Na Letônia da era soviética, não era permitido imprimir nenhum livro religioso, nenhuma cópia das Sagradas Escrituras e nenhum catecismo. Argumentava-se que, se não existisse a versão impressa da Palavra de Deus, também não existiria religião. Nosso povo letão fez aquilo que faziam os cristãos do século I: memorizaram passagens das Sagradas Escrituras. Mesmo hoje, na Letônia, ainda existe uma tradição oral muito viva. Apoiamo-nos sobre os ombros dos nossos mártires para proclamar a Palavra de Deus. Nossos netos recordam seus avós, que morreram pela fé, e querem, por sua vez, ser heróis da fé.

Na Letônia, proclamamos a Palavra viva de Deus! Saímos em procissão e peregrinação, entoamos cânticos e rezamos dizendo: «Eis a Palavra do Senhor». Nossos avós morreram por fazer a mesma coisa. Na Letônia, quando a Missa tem apenas uma hora de duração, diz-se que ela foi apenas um aquecimento para o verdadeiro encontro com Deus no sacramento e na sua Palavra[2].

– Dom Antons Justs, século XXI

---

[2] Bispo Antons Justs de Jelgava, Letônia, citado no Relatório do Sínodo de 2008 sobre «A Palavra de Deus na vida e na missão da Igreja».

17. Leitura espiritual

Santo Epifânio, uma das mentes mais brilhantes do século IV, disse: «A aquisição de livros cristãos é necessária para aqueles que os podem utilizar. Pois a mera visão desses livros diminui nossa inclinação para o pecado e nos insta a acreditar mais firmemente na retidão»[1].

No meu mundo, Santo Epifânio é aquilo que chamamos de facilitador. Como sou razoavelmente viciado em livros, quase não há lugares na minha casa onde eu esteja vulnerável ao pecado. Os livros cristãos estão sempre à vista.

Reconheço que nem todo mundo é um leitor tão ávido quanto eu (se bem que você, que leu este livro até aqui, também não é nenhum relapso). No entanto, até eu às vezes me sinto menos inclinado a ler aquilo que *preciso* ler – livros e artigos relacionados ao meu trabalho, ou a assuntos domésticos, ou aqueles que me foram designados pelos meus superiores (meu reitor, meu confessor, minha esposa...). Por isso, de vez em quando preciso lembrar a mim mesmo de que *leitura exige disciplina*.

A leitura *espiritual*, sobretudo, *é* uma disciplina.

A leitura espiritual difere das outras por ser um estudo que

---

(1) Santo Epifânio de Chipre, citado em Benedicta War, *The Sayings of the Desert Fathers*, Cistercian Publications, Kalamazoo, 1984, pág. 58.

iniciamos, talvez por recomendação do nosso diretor espiritual, para guiar nosso crescimento na virtude, no conhecimento da doutrina e na união com Deus. Não se trata de uma leitura por lazer, ou mesmo para instrução. Ela deve levar à oração e é, em si mesma, uma forma de oração. Um abade da ordem dos cartuxos chamado Guigo II resumiu tudo isso numa frase que se tornou clássica: «Procurai pela leitura, e encontrareis meditando; batei orando, e vos será aberto pela contemplação»[2]. Essa fórmula envolve um tanto de oração, mas se trata de uma oração que se projeta para o alto a partir dos alicerces de uma leitura boa e sólida. Na verdade, Guigo nos está avisando que a oração fica prejudicada quando perdemos tempo lendo coisas sem nenhum valor.

E o que vale a pena usar como objeto de leitura espiritual? Antigamente, era consenso que os melhores autores eram aqueles cujos nomes começavam com a letra «S» – como Santo Agostinho, São Tomás, São Boaventura, Santo Inácio, Santo Afonso, e assim por diante. Isso ainda vale para os dias de hoje. Quando canoniza alguém, a Igreja o faz por meio de um decreto infalível; sabemos, portanto, que a pessoa em questão está no céu. E como chegar ao céu também é o nosso objetivo, os santos mapeiam um caminho que foi aprovado e é confiável.

É fato, no entanto, que os santos diferem uns dos outros em temperamento, métodos e estilo. Para nós, portanto, é difícil construir uma espiritualidade a partir de fragmentos de suas múltiplas e variadas espiritualidades. Precisamos de ajuda para encontrar obras que sejam apropriadas para nós em cada circunstância. Por exemplo: um livro que detalhe as questões cotidianas num mosteiro pode ser fonte infinita de sabedoria para um monge, mas será completamente inútil para uma família de católicos leigos.

---

(2) Guigo é citado no *CIC*, n. 2654. Sua grande obra, *Scala claustralium* (conhecida em português como *A escada dos monges*), é um material excelente para a leitura espiritual.

Por isso, as melhores obras *para você e eu* são aquelas que nos são recomendadas por um diretor espiritual experiente ou por um confessor. De fato, conheço alguns homens que publicaram listas bastante úteis, capazes de nos manter alimentados por uma vida inteira. Mesmo assim, a atenção pessoal de um diretor espiritual é insubstituível. É importante que tenhamos certeza de que nossa leitura espiritual não está avançando segundo os nossos caprichos, interesses ou idiossincrasias. Pode ser que não sintamos nenhum desejo de ler um livro sobre teologia trinitária, por exemplo, ou sobre o crescimento na bondade. No entanto, esses podem ser exatamente os livros que precisamos ler – e é melhor que o façamos o quanto antes. Nosso diretor espiritual saberá dizê-lo.

Essa recomendação não é o fim da etapa da «disciplina». Também é bom que façamos uma leitura regrada.

Não é proveitoso consumir livros espirituais com muita voracidade, devorando grandes porções numa única sessão de leitura. É melhor tratar a leitura do dia como uma refeição. Devemos absorver as palavras lentamente, de modo a assimilá-las. Devemos ler um pouco, rezar e dar a nós mesmos a oportunidade de digerir o que consumimos. Não há problema em investir tanto tempo nas pausas para reflexão quanto na leitura propriamente dita.

No entanto, estou me adiantando demais. A leitura espiritual deve começar como as refeições: com uma oração. Dou preferência à oração tradicional da Igreja ao Espírito Santo: «Vinde, Espírito Santo, enchei os corações dos Vossos fiéis e acendei neles o fogo do Vosso amor. Enviai o Vosso Espírito e tudo será criado, e renovareis a face da terra». São muitas as possibilidades. Um dos meus autores espirituais favoritos, Eugene Boylan, propôs esta breve jaculatória: «Senhor, dai-Vos a mim através deste livro»[3].

---

(3) M. Eugene Boylan, *Amor sublime*, Cultor de Livros, São Paulo, 2017, pág. 154.

O padre Boylan também enfatizava a necessidade de orientação para fazer uma boa leitura. Dava-lhe pena que os católicos leigos tivessem aversão pelo estudo do dogma: «Quando os leigos leem livros de teologia, verifica-se que procuram mais os assuntos apologéticos do que os de formação dogmática para uma devoção verdadeira. Nós aconselharíamos o contrário»[4]. Eu também gostaria. A teologia pode ser uma leitura difícil, sobretudo para mentes que não têm experiência na área. A maioria dos católicos da minha geração não tem formação sequer no que diz respeito ao que há de mais básico na doutrina, quanto mais em teologia! Não obstante, como bem apontou o padre Boylan, «se a leitura da teologia católica concorrer para, ao menos, mostrar ao católico o quanto ele desconhece nesse campo da ciência, o ganho já será grande»[5].

A leitura espiritual deve ter regularidade: é preciso mesmo que seja diária. Do mesmo modo, jamais deve ser trabalhosa. Devemos limitar o tempo que dedicamos a esse exercício – dez ou vinte minutos – e permanecer sempre dentro desse limite. É melhor dedicar à leitura espiritual dez minutos por dia ao longo de trinta dias do que exagerar na dose e ler cinco horas num dia só.

Se o livro recomendado não nos interessa, devemos continuar a leitura mesmo assim. Nossos diretores possuem «graça de estado» para nos guiar nesses assuntos (*CIC*, n. 2004). Lembre-se: não estamos lendo para alcançar prazer estético (embora isso também vá ocorrer com alguma frequência), mas para nos alimentar.

Nossas necessidades variam de acordo com as circunstâncias individuais e com as fases da vida. Não devemos nos surpreender se nem sempre virmos sentido no nosso programa de leitura. Também não devemos hesitar em pedir permissão

---

(4) *Idem*, págs. 149-150.

(5) *Idem*, pág. 147.

para ler um livro que nos interessa ou que parece apropriado para nossa necessidade atual. A gama de livros disponíveis é realmente ampla – cristologia, vidas dos santos, moral, metafísica, angeologia, mariologia, catecismos... Nossos diretores podem, inclusive, indicar um livro secular que pode servir como leitura espiritual.

O padre Boylan disse que sem a leitura regular «não há chance de avançar na vida espiritual: mesmo a perseverança torna-se aí duvidosa».

Todos devemos ouvir o mesmo chamado que Santo Agostinho ouviu tantos anos atrás. *Tolle, lege! Tolle, lege!*: «Toma e lê! Toma e lê!». Não se trata de um chamado para sermos viciados em livros; trata-se, antes, do convite a uma disciplina muito útil e que não é tão pesada assim (pelo menos não para alguns de nós).

Medite no coração

Envio-te o livro sobre a esperança cristã que havia prometido. A ti ele se mostrará um verdadeiro tesouro, mas, se quiseres retirar dele todos os frutos que almejo, deves refrear a avidez na leitura e não permitir que te deixes levar pela curiosidade de saber o que virá a seguir. Emprega o tempo de leitura permitido pela Regra e concentra toda a tua atenção no que estiveres lendo, sem te preocupares com nada mais. Acima de tudo, exorto a que penetres o sentido das verdades reconfortantes e sólidas que encontrarás neste livro, mas mais de maneira prática do que mediante reflexões especulativas. De tempos em tempos, recorre a breves intervalos para que fluam essas verdades por todos os recônditos de tua alma e dá abertura para que o Espírito Santo possa agir, Ele que, durante esses intervalos de serenidade e durante esses tempos de atenção silente, grava e imprime as verdades celestes no coração. Tudo isso, entretanto, sem reduzir tua atração e sem nenhum esforço violento para impedir que qualquer reflexão venha a ser feita, mas apenas tentando, pacatamente, fazê-las penetrar em teu coração em lugar de tua cabeça.

Dedica especial atenção aos capítulos que são mais importantes e dos quais tens maior necessidade, de modo a relê-los quando houver tempo hábil. Em geral, recomendo enfaticamente que não sobrecarregues tua cabeça com leituras e práticas exteriores; muito melhor é ler pouco e digerir o que foi lido. Neste instante, tua alma necessita de unidade e simplicidade, e todas as tuas leituras e práticas devem tender a um único fim, qual seja: formar em ti um espírito de recolhimento[6].

— Jean-Pierre de Caussade, SJ, século XVIII

---

(6) Jean-Pierre de Caussade, *O abandono à Providência divina*, Carta X.

18. Retiro

De todas as disciplinas de oração preservadas na tradição cristã, a Bíblia só se ocupa longamente de algumas. A essas passagens devemos estar atentos, e a essas práticas devemos ser fiéis. Nelas, pois, podemos encontrar sempre inspiração e conselhos infalíveis para a nossa vida espiritual.

Eis algo que podemos dizer com certeza: se queremos avançar em nossa vida espiritual, devemos primeiro *nos retirar*.

Retiro espiritual é a ocasião em que dedicamos um tempo mais longo (geralmente, com certo grau de quietude e solidão) a rezar e meditar, de maneira contínua e profunda, acerca da vontade de Deus.

Onde podemos encontrar essa prática nas Escrituras? Em vários lugares! Pensemos em Moisés, que partia em retiro sempre que estava prestes a fazer algo importante. Ele dedicava bastante tempo à oração solitária e, em seguida, retirava-se para ficar sozinho com Deus, sem distrações. *Moisés penetrou na nuvem e subiu a montanha. Ficou ali quarenta dias e quarenta noites* (Ex 24, 18).

O retiro de Moisés representava um tempo de abertura para Deus. Ele estava se preparando para receber os mandamentos. Todavia, não se tratava de um exercício passivo. Moisés se dedicou a algumas disciplinas para se preparar para a ação de Deus. Por exemplo, jejuou: *Moisés ficou junto do Senhor quarenta dias e quarenta noites, sem comer pão nem beber água* (Ex 34, 28).

Moisés também não foi o último dos santos do Antigo Testamento a fazer um retiro espiritual. Quando queriam ouvir a palavra do Senhor, os profetas às vezes tinham de se afastar do ruído da vida cotidiana. Elias se retirou para uma caverna, de maneira a poder discernir o murmúrio de Deus (1 Rs 19, 12).

Os profetas necessitavam de tempo para fazer seus retiros, uma vez que discernir a voz de Deus pode demorar. Deus chamou o jovem Samuel várias vezes *pelo nome* antes que ele pudesse reconhecer quem o chamava. Só então Samuel começou a fazer a prece que deveria estar nos nossos corações quando fazemos um retiro: *Falai, Senhor; vosso servo escuta!* (1 Sm 3, 10).

Os retiros de Jesus são ainda mais instrutivos, pois Ele os fez para benefício nosso. Ele não precisava se esforçar para ouvir a voz de Deus, para conhecer os desígnios divinos ou para crescer em comunhão com o Pai. Ainda assim, fez esse esforço. *Em seguida, Jesus foi conduzido pelo Espírito ao deserto [...]. Jejuou quarenta dias e quarenta noites* (Mt 4, 1-2). Tal como Moisés, também Ele saía em retiro quando prestes a fazer algo grande, como nomear os doze escolhidos. Às vezes, também se retirava para lamentar na presença de Deus. Trata-se de um padrão deliberado em sua vida: *Ele costumava retirar-se a lugares solitários para orar* (Lc 5, 16); *Jesus partiu dali numa barca para se retirar a um lugar deserto* (Mt 14, 13); *naqueles dias, Jesus retirou-se a uma montanha para rezar, e passou aí toda a noite orando a Deus* (Lc 6, 12).

O que Jesus disse sobre suas ações na Santa Ceia se aplica também aos retiros espirituais que Ele fez: *Dei-vos o exemplo para que, como eu vos fiz, assim façais também vós* (Jo 13, 15).

Os discípulos de fato seguiram o exemplo de Jesus. Na verdade, Ele os guiou pessoalmente em seus primeiros retiros. *Jesus tomou consigo Pedro, Tiago e João, seu irmão, e conduziu-os à parte a uma alta montanha* (Mt 17, 1).

O retiro – tempo que se passa isolado num lugar isolado – era algo tão consolidado que São Paulo o praticava com total naturalidade na época em que se converteu. Ele passou algum tempo jejuando (cf. At 9, 9) e se retirou no deserto da Arábia (cf. Gl 1, 17).

Noutras ocasiões, impôs-se um «retiro» aos apóstolos na forma de aprisionamento ou exílio. São João fora banido para Patmos quando, em oração, recebeu as revelações registradas no Apocalipse (cf. Ap 1, 9).

Para os nossos ancestrais, os frutos do retiro espiritual eram muitos. Pelos dias que passavam isolados no deserto, os profetas e discípulos ganhavam clareza espiritual e um senso de missão renovado. Nos casos de Moisés e João, as novas capacidades de discernimento podiam ser tecnicamente qualificadas como revelações divinas!

Também para nós os frutos dessa prática serão muitos, sem dúvida. Devemos nos programar para sair em retiro de preferência uma vez por ano, e devemos ser generosos no que diz respeito ao tempo que reservaremos para esse fim. Como meus filhos certamente testemunharão, a primeira característica do tempo de qualidade é a quantidade. Muitas horas são necessárias para o tipo de conversa que Deus quer que tenhamos com Ele num retiro. Assim como acontece numa conversa que temos com um amigo querido, é preciso algum tempo no começo para os assuntos mais «triviais», para «pôr a conversa em dia» e falar da vida. Também precisamos de tempo para nos desprender da rotina e de nossas listas de afazeres. Durante o primeiro dia de retiro, eu sempre me pego olhando para o relógio, prevendo instintivamente o próximo compromisso de um dia comum de trabalho. Somente depois de um dia de silêncio eu consigo relaxar na presença de Deus e oferecer de verdade a oração do jovem Samuel: *Falai, Senhor; vosso servo escuta!* Só então posso ter a esperança de ouvir aquele mesmo murmúrio.

Por que precisamos do tipo de afastamento exemplificado por Jesus e São Paulo? Porque precisamos nos ajustar a uma forma de pensar radicalmente diferente. Só então poderemos começar a discernir a vontade de Deus e julgar nossas segundo os parâmetros dEle. *Pois meus pensamentos não são os vossos, e vosso modo de agir não é o meu, diz o Senhor; mas tanto quanto o céu domina a terra, tanto é superior à vossa a Minha conduta e meus pensamentos ultrapassam os vossos* (Is 55, 8-9). Pensar como Deus é uma graça, mas corresponder à graça requer certo esforço da nossa parte, como Jesus bem nos mostrou. Esse esforço, por sua vez, leva tempo, e o retiro nos dá tempo para esse esforço e nos oferece uma ocasião para nos aproximarmos da graça.

Por meio de suas muitas famílias espirituais, a Igreja oferece uma variedade de experiências de retiro: retiros individuais e em grupo, retiros para casais e famílias, retiros de silêncio e convivência, retiros carismáticos e contemplativos... Eles ocorrem em mosteiros e conventos, em acampamentos e hotéis, e até mesmo em *campi* dedicados exclusivamente a isso.

Eu tendo a preferir um retiro dirigido, com muito tempo para a oração silenciosa e também com ocasiões de aconselhamento individual. Gosto de sair de um retiro tendo estabelecido juízos sobre o ano que passou, bem como resoluções para o ano que está por vir. Esses juízos e essas resoluções servem como referências úteis e precisas do meu crescimento espiritual.

Somente quando faço um bom retiro é que me sinto capaz de avançar com confiança.

Medite no coração

Fiz esse retiro [...] muitas vezes. A primeira vez trouxe consigo o choque do reconhecimento de que era isso o que eu vinha procurando em matéria de explicação do mistério da Vida Cristã, do plano de Deus para todos nós. Embora ainda enxergasse por um espelho, em enigma, vi as coisas em sua totalidade pela primeira vez e senti um prazer, uma alegria e um entusiasmo difíceis de descrever. Era aquilo o que eu almejava quando me tornei católica. Era aquilo o que todas as minhas leituras me haviam feito almejar em matéria de instrução e orientação na vida espiritual. Saí de lá com algo que só posso classificar como um conhecimento mais elevado da vida sobrenatural, com a sensação de que havia crescido na fé, na esperança e na caridade, de que fora alimentada com a poderosa carne do Evangelho e de que estava então preparada para a corrida, para seguir adiante com aquele alimento que me sustentaria por quarenta dias em qualquer ermo. Senti-me preparada para encarar desertos e túneis subterrâneos, para a noite escura dos sentidos e da alma. E sabia, também, que essa luz forte se tornaria mais fraca ao longo dos meses e que seria preciso fazer um novo retiro no ano seguinte, a fim de ajustar minha visão à verdade resplandecente que foi colocada diante de nós, a fim de colocar as coisas em perspectiva mais uma vez[1].

– Dorothy Day, século XX

---

(1) Dorothy Day, citada em Brigid O'Shea Merriman, *Searching for Christ: The Spirituality of Dorothy Day*, University of Notre Dame Press, Notre Dame, 1994, pág. 165.

Parte V
Fases da vida

19. Crisma

A crisma (ou confirmação) já foi descrito como um «sacramento à procura de uma teologia», e um santo canonizado chegou a chamar o Espírito Santo de «o Grande Desconhecido». Será que nossa doutrina e nossa devoção são tão pobres a ponto de não podermos conhecer nem o dom, nem Aquele que o concede?

Que esse jamais seja o nosso caso – o seu e o meu! Pois, se negligenciarmos o Espírito Santo e esquecermos nossa crisma, perderemos de vista a razão mesma da nossa redenção. Deus fez-se homem não apenas para nos salvar *de* algo (de nossos pecados), mas também para nos salvar *para* algo (para que possamos viver como filhos de Deus). Ser salvo não é nada menos do que participar da natureza divina.

E assim o fazemos, graças ao dom do Espírito Santo. Jesus disse a seus apóstolos que o Espírito *receberá do que é meu e vo-lo anunciará* (Jo 16, 14). É o Espírito, portanto, que nos dá a vida na Santíssima Trindade, pois é o Espírito que nos dá a vida do Filho.

O envio do Espírito foi um propósito explícito de Jesus. Disse Ele aos apóstolos: *Entretanto, digo-vos a verdade: convém a vós que eu vá! Porque, se eu não for, o Paráclito não virá a vós; mas, se eu for, vo-lo enviarei. [...] Quando vier o Paráclito, o Espírito da Verdade, ensinar-vos-á toda a verdade* (Jo 16, 7.13).

Fiel à sua promessa, Jesus apareceu aos apóstolos e *soprou sobre eles dizendo-lhes: Recebei o Espírito Santo* (Jo 20, 22). Em seguida, no primeiro Pentecostes cristão, sobreveio um transbordamento universal do Espírito Santo sobre a Igreja (cf. At 2). Esse acontecimento fora prefigurado em várias profecias do Antigo Testamento acerca do tempo do Messias (cf. Is 44, 3; 59, 21; Ez 11, 19; 36, 25-27; Jl 2, 27), mas a magnitude do dom certamente superou todas as expectativas.

Afinal, não se tratava do dom de uma coisa, mas do dom de uma Pessoa. Tratava-se do dom do Espírito Santo.

Nos Atos dos Apóstolos, fica claro que Pentecostes foi um acontecimento planejado para toda a Igreja, e não apenas para uma elite, nem apenas por um dia. Esse acontecimento se estenderia ao longo do tempo – isto é, seria institucionalizado – pelos sacramentos. O dom do Espírito veio com o batismo, mas de alguma forma se tornou completo mediante outro rito.

> *Os apóstolos que se achavam em Jerusalém, tendo ouvido que a Samaria recebera a Palavra de Deus, enviaram-lhe Pedro e João. Estes, assim que chegaram, fizeram oração pelos novos fiéis, a fim de receberem o Espírito Santo, visto que não havia descido ainda sobre nenhum deles, mas tinham sido somente batizados em nome do Senhor Jesus. Então os dois apóstolos lhes impuseram as mãos e receberam o Espírito Santo* (At 8, 14-17).

A tradição descreve a crisma como o «selo» do Espírito Santo. No mundo antigo, o ato de carregar (ou vestir) o selo de alguém significava estar identificado com aquela pessoa, ser reconhecido como filho ou servo dela. A crisma nos marca como filhos de Deus. Confere-nos certa maturidade e nos dá o poder de testemunhar e defender a fé, vivendo com responsabilidade no seio da Igreja. Todos esses feitos são graças de Deus e não dependem das nossas forças ou habilidades individuais. A idade em que se é crismado varia enormemente de lugar para lugar. Algumas igrejas orientais confirmam as crianças imediatamente após o batismo, enfatizando a gratuidade divina do dom. Certas dioceses ocidentais, por outro lado, postergam o sacramento até que o fiel esteja na idade de começar ou concluir o ensino médio, enfatizando que se trata de um sinal de maturidade, de verdadeira realização pessoal no âmbito da Igreja. A Igreja ensina que a crisma «completa» o batismo, seja qual for o momento da vida em que recebamos o sacramento (cf. *CIC*, n. 1304).

Alguns até desejariam tê-lo recebido em idade diferente – mais cedo, por causa da graça, ou mais tarde, por causa da compreensão –, mas isso de fato não se justifica. O que temos de fazer é reconhecer que a crisma é um dom que se recebe uma vez, que dura a vida inteira e ao qual podemos recorrer todos os dias. Já recebemos todo o necessário para alcançar a maturidade espiritual.

Nós recebemos o que a tradição cristã chama de «dons do Espírito Santo»: sabedoria, entendimento, ciência, conselho, piedade, fortaleza e temor de Deus. Também recebemos os frutos do Espírito Santo – por exemplo: caridade, alegria, paz, longanimidade, benignidade, bondade, fidelidade, mansidão, continência.

Quando vemos divisões na Igreja – dissensões, falta de clareza, certa ignorância aparentemente deliberada –, verificamos a necessidade do Espírito Santo. Em vez de rogar pragas contra as trevas, temos de invocar a Terceira Pessoa.

Devemos examinar a nós mesmos quanto à nossa devoção ao Espírito Santo e quanto à estima que nutrimos pelo dia de nossa crisma. Porventura rezamos ao Espírito Santo do mesmo modo como rezamos ao Pai e ao Filho? Rezamos a Ele diretamente? Ele, afinal, é uma Pessoa, e não uma força, uma ação ou um instrumento.

Quando somos crismados, o Espírito Santo passa a habitar em nós. Somos templos do Espírito (1 Cor 6, 19). Não precisamos ir muito longe para conhecê-lO.

Cristo veio ao mundo para nos dar o Espírito. Ele ascendeu ao Pai para que o Espírito pudesse descer sobre a Igreja. Nessas ações divinas, a história da salvação manifestou as processões divinas. O Pai que insere o Filho na história é uma imagem do Pai que gera o Filho na eternidade. A descida do Espírito sobre a Igreja em Pentecostes é uma imagem da processão do Pai e do Filho na eternidade.

Devemos nos esforçar, portanto, para não negligenciarmos ou subestimarmos nem a vida do Espírito na Trindade, nem a nossa vida no Espírito. A obra essencial do Espírito é a reprodução da vida, do sofrimento, da morte e da ressurreição de Cristo em cada um de nós. Quando negligenciamos o Espírito, estamos negligenciando também o Cristo.

Medite no coração

Agora que *fostes batizados em Cristo* e *vos revestistes de Cristo* (Gl 3, 27), vos tornastes *conformes à imagem* do Filho de Deus (Rm 8, 29). Deus, pois, *nos predestinou para sermos adotados como filhos seus* (Ef 1, 5). Uma vez que fostes *incorporados a Cristo* (Heb 3, 14), com razão é possível chamar-vos cristos, ou ungidos. [...] Ora, recebendo o sinal do Espírito Santo é que fostes ungidos, e, porque sois imagens de Cristo, foi em imagem que todos os rituais executados sobre vós se cumpriram.

Cristo banhou-se no Rio Jordão e, investindo as águas com a divina presença do seu corpo, emergiu delas, e o Espírito Santo veio visitá-lO em forma substancial, como um igual pousa sobre seu igual. De igual maneira, quando emergistes da água benta, fostes ungidos de maneira correspondente à unção de Cristo. Essa unção é o Espírito Santo, de quem o bem-aventurado Isaías falava ao profetizar, na pessoa do Senhor: *O espírito do Senhor repousa sobre mim, porque o Senhor consagrou-me pela unção* (Is 61, 1).

[...] Cuidai, no entanto, para que [a crisma] não seja vista como simples unguento; do mesmo modo como o pão da Eucaristia deixa de ser pão e passa a ser o corpo de Cristo após a epiclese do Espírito Santo, também a santa crisma, depois da mesma invocação, deixa de ser simples unguento e torna-se graça de Cristo – a qual, por meio da presença do Espírito Santo, infunde em nós sua divindade[1].

– São Cirilo de Jerusalém, século IV

---

(1) São Cirilo de Jerusalém, *Catequeses mistagógicas* 3, 1-3.

20. Casamento

Não fui eu o primeiro leitor a notar que a Bíblia é um livro que conta uma história de amor: o amor de Deus pela humanidade. Num movimento que parece reforçar essa interpretação, a Igreja organizou as Escrituras de maneira que o cânon bíblico começasse e terminasse com um casamento. No Gênesis, o ponto alto da narrativa da Criação se dá quando Deus cria o homem e a mulher: Adão e Eva, os dois primeiros a se tornarem uma só carne (cf. Gn 2, 23-24). No Apocalipse de João, a ação encontra seu ponto mais alto bem no final, quando o autor tem a visão do Paraíso, que seu anjo-guia descreve como *a ceia das núpcias do Cordeiro* (Ap 19, 9), celebração da comunhão entre Cristo e sua Igreja.

Entre esses dois acontecimentos, uma história de amor se desenrola. Ao falar pelos profetas, Deus retratou sua aliança com Israel como um casamento, referindo-se a Si mesmo – ou a seu Messias – como a um noivo que vem tomar seu povo como esposa (Os 2, 16-24; Jr 2, 2; Is 54, 4-8). Para Israel, portanto, o casamento humano era uma imagem terrena do amor eterno de Deus.

Certas pessoas cometem o erro de tratar a religião israelita de maneira caricata, considerando-a «legalista» simplesmente por dar ênfase à Lei. No entanto, como bem esclarece Jon Levenson, um estudioso judeu contemporâneo, «não se trata de uma questão de lei *ou* amor, mas de uma lei concebida no amor e de um amor que se expressa na lei. Ambos formam uma unidade»[1]. Ele vai além e explica que as Escrituras hebraicas não podem ser compreendidas fora da chave nupcial: «O que aconteceu sobre o monte em tempos remotos foi a consumação de um romance, de um casamento em que YHWH era o noivo e Israel [...] era a noiva»[2]. «Casamento» comunica bem o sentido do laço entre Deus e seu povo escolhido. Tratava-se de uma *aliança* – em hebraico, *b'rith* –, um laço de família.

A alegria, no entanto, não cabia só a Israel, pois toda a Criação é envolvida na celebração desse «casamento» entre o céu e a terra. Por meio do profeta Oseias, Deus promete:

> *Farei para eles, naquele dia, uma aliança com os animais selvagens, as aves do céu e os répteis da terra; farei desaparecer da terra o arco, a espada e a guerra, e os farei repousar com segurança. Desposar-te-ei para sempre, desposar-te-ei conforme a justiça e o direito, com benevolência e ternura. Desposar-te-ei com fidelidade, e conhecerás o Senhor* (Os 2, 20-22).

Levenson conclui:

> Na última estrofe da profecia de Oseias (vv. 23-25), toda a Criação se une à cerimônia nupcial. O céu responde à terra, e a terra responde oferecendo seus frutos. [...] O universo inteiro participa do novo casamento sagrado entre YHWH e Israel[3].

O rabino Michael Fishbane afirma vir de Jeremias a influência das imagens matrimoniais utilizadas por Oseias (cf. Jr

---

(1) Jon Levenson, *Sinai and Zion: An Entry into the Jewish Bible*, HarperCollins, San Francisco, 1985, pág. 76.
(2) *Idem*, pág. 77.
(3) *Idem*, pág. 79.

2, 2; 3, 1). No entanto, escreve ele, «o tema da aliança amorosa entre Deus e Israel ganhou sua mais célebre expressão nas interpretações clássicas dos rabinos sobre o Cântico dos Cânticos»[4]. Um cristão poderia acrescentar que essa tradição se perpetua na sucessão dos santos e estudiosos da Igreja, de Santo Hipólito e São Gregório de Nissa ao Papa João Paulo II, passando por São Bernardo de Claraval e São Tomás de Aquino.

Os profetas previram uma aliança nova e duradoura, que consistiria numa renovação da aliança original entre Deus e Adão, entre Deus e a humanidade, entre Deus e toda a Criação. Tratar-se-ia, na verdade, de uma renovação tão abrangente que se configuraria como uma «nova Criação». As imagens que eles usaram – e que viriam a ser usadas também por Jesus Cristo – eram as do noivado e do casamento. Desse modo, quando veio Jesus, chamou a Si mesmo de «noivo» e àqueles que estavam unidos a Ele pelo batismo, de «desposados» (cf. Jo 3, 29; Mc 2, 19; Mt 22, 1-14; 25, 1-13; 1 Cor 6, 15-17; 2 Cor 11, 2).

Foi Jesus quem nos deu a primeira interpretação explicitamente matrimonial do Gênesis. Afinal, a palavra «casamento» não aparece na história de Adão e Eva. Sabemos, no entanto, que se trata de uma história de casamento porque Jesus assim o declarou (cf. Mc 10, 2-16). Ele disse que a história do Gênesis reflete a vontade de Deus *no princípio da Criação* e que o homem não pode separar *o que Deus uniu*.

Mais adiante no Novo Testamento, São Paulo tece um profundo comentário místico. Em sua carta aos Efésios, ele cita o texto do Gênesis e explica que essa aliança matrimonial no Jardim é uma referência à aliança entre Cristo e a Igreja (cf. Ef 5, 21-33). Ao fazer essa inequívoca alusão à união de Adão e Eva numa só carne, Paulo parece também lançar luz sobre a tarefa e o fracasso de Adão. Ele nos ajuda a ver que Adão não «se entregou» por sua esposa como deveria ter feito; em vez disso,

---

[4] Michael Fishbane, *JPS Bible Commentary: Haftarot*, Jewish Publication Society, Filadélfia, 2002, págs. 555-56.

permitiu que a serpente o intimidasse. São Paulo nos ajuda a ver que Cristo, por outro lado, de fato «se entrega» por sua esposa, a Igreja. Ali onde o primeiro Adão havia falhado, produzindo consequências gravíssimas, o novo Adão obteve sucesso, gerando um efeito salvífico.

Note que Paulo não anula o sentido literal do texto do Gênesis, nem muito menos diz que ele não se refere *verdadeiramente* aos maridos e esposas do mundo real. Na verdade, ele nos dá um belo ensinamento sobre o amor do qual os maridos e as esposas partilham. Paulo está nos dizendo que o casamento é também símbolo de um mistério muito maior – do amor de Cristo por sua esposa, a Igreja, do amor de Deus por seu povo.

Esse mistério recebe sua expressão mais forte no último livro da Bíblia, o Apocalipse – do grego *apokalypsis*, que literalmente significa «desvelar». A exemplo da história de Adão e Eva, o Apocalipse evoca imagens que são tanto nupciais quanto sacerdotais. O véu era uma parte fundamental do vestuário da noiva, como continua sendo até hoje. O «desvelar» da noiva era o ponto alto do tradicional banquete de casamento judeu, que durava uma semana. Com efeito, o termo *apokalypsis* passou a ser associado com o primeiro momento de intimidade matrimonial e comunhão carnal, com a consumação física da aliança nupcial.

Como uma noiva, o santuário de Deus ficava coberto por um véu, a fim de que fosse desvelado somente na consumação da Nova Aliança (cf. Mc 15, 38). O aposento do Santo dos Santos, no Templo de Jerusalém, era um cubo perfeito revestido de ouro (cf. 1 Rs 6, 19-20). Ficava protegido dos olhares por um véu que vinha do teto ao chão – uma cortina bordada com motivos animais e florais (de forma que a natureza em si aparecia como «véu» simbólico de uma realidade ainda maior). O véu, no entanto, rompeu-se literal e simbolicamente quando o corpo de Cristo foi imolado em seu ato de entrega amorosa na Cruz. Por causa dessa entrega, *temos ampla confiança de poder entrar no santuário eterno, em virtude do sangue de Jesus, pelo caminho novo e vivo que nos abriu através do véu, isto é, o caminho de seu próprio corpo* (Heb 10, 19-20).

Aquilo que está velado é santo e só deve ser desvelado em aliança de amor. O que o Apocalipse «desvela» é a consumação final da história, o casamento de Cristo com sua esposa, a Igreja (cf. Ap 19, 9; 21, 9; 22, 17). Trata-se da *Cidade Santa, a nova Jerusalém, descendo do céu, de junto de Deus, preparada como noiva que se apronta para o noivo* (Ap 21, 2). Assim como o Santo dos Santos, a esposa de Cristo é um cubo perfeito e resplandecente, feito de ouro puro (cf. Ap 21, 16-18).

Ao «desvelar» a Igreja, nosso noivo sacerdotal revela o dom do seu amor à sua esposa – a Nova Jerusalém – na dignidade e no ornato do Espírito (cf. Ex 28, 2). O casamento inaugura uma nova Criação – *um novo céu e uma nova terra* (Ap 21, 1).

Trata-se de uma repetição dos capítulos de abertura do Gênesis. Orígenes, estudioso que viveu no século III, afirmava que o Apocalipse de João servia como chave interpretativa do Evangelho de João. De fato, vários aspectos intrigantes das bodas de Caná parecem se resolver quando compreendemos que João está, na verdade, descrevendo um novo Gênesis, uma nova criação, um «banquete nupcial» escatológico do Cordeiro de Deus.

Na primeira aliança, vimos a união matrimonial entre um homem e uma mulher, isto é, entre Adão e Eva (cf. Gn 2, 23-24). Na Nova Aliança, encontramos um novo homem e uma nova mulher presentes num banquete nupcial. É verdade que Maria é mãe – e não esposa – de Jesus. Mas, para entendermos a profundidade sobrenatural do simbolismo bíblico que João tinha em mente, precisamos pôr de lado nossas formas «naturais» de leitura. Como «mulher», Maria se torna o *locus* de uma variedade de símbolos e expectativas bíblicas. Ela é, a um só tempo, filha de Israel, mãe do novo povo de Deus e esposa de Deus.

Em Caná, Jesus surge como um Novo Adão, o primogênito de uma Criação nova. O que João sugere fica claro em outros trechos do Novo Testamento. Paulo refere-se a Jesus como uma «figura» de Adão (cf. Rm 5, 14) e como o novo ou último Adão (cf. 1 Cor 15, 21-22; 45-49). Em Caná, Maria é a Nova Eva, a esposa do Novo Adão, a mãe da nova Criação.

Em Caná ocorre a conversão da água em vinho – uma transubstanciação que prefigura a ceia da Nova Aliança de Jesus: a Eucaristia, consumação corpórea da aliança entre Deus e sua Igreja. É na Eucaristia que Jesus nos dá seu corpo como alimento (cf. Jo 6, 26-58) e nós, filhos de Deus, participamos *da mesma carne e do sangue* (Heb 2, 14). É na Eucaristia que Jesus transporta toda a humanidade para a ceia nupcial do Cordeiro. É na Eucaristia que Cristo pode olhar para a Igreja como Adão olhou para Eva e dizer: *Eis agora aqui* [...] *o osso de meus ossos e a carne de minha carne* (Gn 2, 23).

Na Eucaristia, tornamo-nos membros do casamento, sentados à mesa principal do «banquete nupcial» que Jesus, em suas parábolas, chamou de «meu banquete». Na Eucaristia, penetramos nas profundezas da comunhão de amor que Deus planejou para cada um de nós. No batismo, cada um de nós é prometido a Cristo (cf. 2 Cor 11, 2), e para nós cada Eucaristia é um banquete nupcial. Diz Agostinho:

> Cada celebração é uma celebração das bodas; as núpcias da Igreja são celebradas. O Filho do Rei está prestes a se casar com sua esposa, e [...] os convidados para o casamento são, eles mesmos, a noiva. [...] Com efeito, toda a Igreja é noiva de Cristo[5].

Isso se aplica ao Templo e também à noiva. A conexão entre uma coisa e outra fica evidente na língua nativa da mãe de Je-

---

(5) Santo Agostinho, citado em Claude Chavasse, *The Bride of Christ*, Faber and Faber, Londres, 1939, pág. 147.

sus. O termo hebraico correspondente a «santidade», *kiddushin*, é também empregado para fazer referência à cerimônia de casamento judaica e à própria condição matrimonial.

Quando vi minha amada Kimberly no dia do nosso casamento, sua beleza, mesmo sob o véu, quase me fez cair para trás. Tratava-se de algo misterioso; era muito mais do que eu esperava. Aquele casamento foi uma revelação para mim. Mal sabia eu que era apenas o começo – era um gênesis, uma nova criação, uma nova aliança.

Medite no coração

O casamento tem Deus por autor e foi, desde o princípio, uma espécie de prefiguração da Encarnação de seu Filho. Por essa razão, nele habita algo de santo e religioso – não extrínseco, mas congênito; não derivado dos homens, mas implantado pela natureza[6].

– Papa Leão XIII, século XIX

---

(6) Papa Leão XIII, encíclica *Arcanum divinae*, n. 19.

21. Sacerdócio

Antes de ser católico, eu fui anticatólico. No ensino médio, participei ativamente de organizações paraeclesiásticas cujos membros eram treinados para apontar «objeções» bíblicas à fé católica. Eu frequentemente confrontava os católicos com as seguintes palavras de Jesus: *a ninguém chameis de pai sobre a terra* (Mt 23, 9). Por que então, perguntava eu, os católicos se dirigiam a seus sacerdotes como «padres», isto é, «pais»? Hoje em dia, morro de vergonha disso – não tanto pela minha falta de compreensão do catolicismo, mas mais pela minha falta de compreensão da Bíblia.

Depois de anos pesquisando e rezando, ficou claro para mim que as Escrituras de fato apresentam os sacerdotes de Deus como pais. Na religião bíblica, o sacerdote *é* um pai – é até mais pai do que o homem que eu e você chamamos por esse nome «na terra» (isto é, nossos pais biológicos ou adotivos).

Comecemos pelo começo. Ao estudar o Antigo Testamento, podemos dividir a história do sacerdócio em dois períodos: o patriarcal e o levítico. O período patriarcal corresponde ao livro do Gênesis, ao passo que o período levítico tem início no Êxodo e se estende até a vinda de Jesus.

A religião do período patriarcal era consideravelmente diferente da religião que passou a ser praticada por Israel depois que Moisés recebeu a Lei no Monte Sinai. Esta primeira estava solidamente fundamentada na ordem natural da família, sobretudo na autoridade passada de pai para filho (de preferência para o primogênito), frequentemente na forma de uma «bênção» (cf. Gn 27).

No livro do Gênesis, não encontramos nenhuma casta ou instituição sacerdotal separada. Também não há nenhum templo marcado como local exclusivo para os sacrifícios. Os patriarcas construíam altares e apresentavam suas oferendas em locais e momentos escolhidos por eles próprios (cf. Gn 4, 3-4; 8, 20-21; 12, 7-8). Os pais gozavam de poder sacerdotal por natureza.

Já havia, no entanto, vestimentas associadas ao exercício do sacerdócio. Quando Rebeca tomou as vestes de Esaú, seu filho primogênito, e as entregou a Jacó (Gn 27, 15), estava transferindo simbolicamente o cargo sacerdotal. Na geração seguinte, observamos o mesmo significado sacerdotal na «túnica de várias cores» que Jacó entrega a José, seu filho (cf. Gn 37, 3-4), e compreendemos por que os meios-irmãos de José ficaram tomados de inveja.

A paternidade é a base original do sacerdócio. O próprio significado do sacerdócio remete à função do pai na família – ao seu papel representativo, sua autoridade espiritual e seu serviço religioso. O primogênito é o herdeiro aparente do pai e, como tal, é preparado para um dia exercer a autoridade e o sacerdócio paterno dentro da família. Desde o início, o sacerdócio sempre pertenceu aos pais e a seus «filhos» abençoados.

A tradição se mantém no livro do Êxodo. Ali, Deus declara a Moisés: *Israel é meu filho primogênito* (Ex 4, 22) – ou seja, dentre os muitos povos da terra, Israel era herdeiro e sacerdote de Deus. Na Páscoa judaica, os filhos primogênitos da nação redimiam-se pelo sangue do Cordeiro Pascal e, assim, eram consagrados ao serviço sacerdotal dentro de cada uma das doze tribos e famílias de Israel (cf. Ex 19, 22-24). Deus deu a Israel uma vocação única: a de ser *um sacerdócio régio, uma nação santa* (1 Pe 2, 9) – um «irmão mais velho» na família das nações. Assim como os filhos primogênitos estavam predestinados a ser sacerdotes na família, também Israel deveria agir como primogênito de Deus entre as nações.

Só que havia um porém. A condição de Israel dependia de um enorme «se», do maior «se» da história: *se obedecerdes à minha voz e guardardes minha aliança* (Ex 19, 5-6). E nisso Israel fracassou. Quando o povo prestou culto ao bezerro de ouro, as tribos de Israel abriram mão da bênção do sacerdócio, que passou a ser exclusividade de uma única tribo, a dos levitas (Ex 32, 25-29). Eles foram os únicos que resistiram à tentação da idolatria.

Desse modo, o sacerdócio de Israel tornou-se um cargo hereditário reservado a uma elite cultural; a casa deixou de ser o local principal do sacerdócio e do sacrifício. Em essência, Deus levantou o «estado clerical» das outras tribos porque elas haviam sido infiéis. Os levitas mantiveram sozinhos a posse exclusiva do sacerdócio de Israel ao longo de todos os séculos que se seguiram até o tempo de Jesus.

Não obstante, podemos verificar no livro de Juízes que Israel continuou identificando o sacerdócio com a paternidade. No Capítulo 17, lemos sobre um homem chamado Micas, que consagra seu filho como sacerdote para prestar culto no templo doméstico da família.

Quando, no entanto, um levita bate à porta de Micas, ele diz: *Fica comigo. Serás para mim um pai e um sacerdote* (Jz 17, 10). No capítulo seguinte, o pedido de Micas é ecoado quase que *ipsis litteris* pelos danitas, que convidam um levita para ser sacerdote da sua tribo: *Vem conosco; tu nos servirás de pai e de sacerdote* (Jz 18, 19).

Esses pedidos são notáveis não pelo que afirmam, mas pelo que tomam como pressuposto. Em pouquíssimas palavras, Micas nos proporciona um vislumbre raro desse período de transição para o povo de Israel. Os pais ainda designavam seus filhos como sacerdotes no santuário doméstico, seguindo um costume remanescente de uma época anterior. O sacerdócio do levita, no entanto, já gozava de preferência sobre o do filho de Micas, o que serve como indício do surgimento de uma nova ordem sagrada.

Na fala de Micas e na repetição dessa fala por parte dos danitas, notamos também que a paternidade ainda era considerada um atributo essencial do ministério sacerdotal, mesmo depois de o sacerdócio ter saído da estrutura familiar.

Esses trechos do livro de Juízes relevam muitas coisas. Revelam, por exemplo, como a abrangente realidade da paternidade espiritual do sacerdote está profundamente entranhada na história da nossa religião – e isso desde as suas raízes israelitas!

Na plenitude dos tempos, Deus-Pai enviou Jesus como primogênito fiel (cf. Hb 1, 6) e sacerdote (cf. Hb 10, 21), e o fez não apenas para restaurar o sacerdócio natural, mas também para instituir um sacerdócio sobrenatural dentro da família divina, a Igreja.

Com Jesus, portanto, deu-se tanto a restauração do sacerdócio natural dos pais quanto o estabelecimento de uma ordem paterna de sacerdotes da Nova Aliança. De acordo com a Carta aos Hebreus, o papel e a identidade de Jesus como Filho primogênito e fiel de Deus (cf. Hb 1, 6) O qualificam como mediador perfeito entre Deus (seu Pai) e nós (seus irmãos e irmãs). Para Cristo, somos *os filhos que Deus me deu* (Heb 2, 13), os *numerosos filhos* (Heb 2, 10); somos irmãos (cf. Hb 2, 12), somos a *raça de Abraão* (Heb 2, 16). Juntos, formamos a casa que Jesus funda e governa (cf. Hb 3, 3) como Filho (cf. Hb 3, 6). Uma vez que todos os cristãos estão identificados com

Cristo, também a Igreja se torna a *assembleia dos primogênitos* (Heb 12, 23).

São Pedro, dirigindo-se à Igreja, retoma o parâmetro que Israel havia perdido no deserto: *Vós, porém, sois uma raça escolhida, um sacerdócio régio, uma nação santa, um povo adquirido para Deus* (1 Pe 2, 9).

A partir de então, os sacerdotes passam novamente a ser pais – ou padres – na Igreja, que, por sua vez, torna-se «a família universal de Deus» (cf. *CIC*, nn. 1 e 1655). Os apóstolos, que foram os primeiros sacerdotes de Cristo, claramente viam sua atuação como uma atuação paterna. São Paulo afirma sua paternidade espiritual: *Com efeito, ainda que tivésseis dez mil mestres em Cristo, não tendes muitos pais; ora, fui eu que vos gerei em Cristo Jesus pelo Evangelho* (1 Cor 4, 15; cf. também Fl 2, 22; 1 Tm 1, 2; 1, 18; 2 Tm 1, 2; Tt 1, 4; Fl 10). Paulo era pai não porque fosse casado ou porque tivesse constituído uma família (ele de fato não o fez); antes, era pai porque era sacerdote, um *ministro exercendo a função sagrada do Evangelho de Deus* (Rm 15, 16).

Santo Agostinho encarava da mesma forma o cargo episcopal que herdara dos apóstolos:

> Os pais, os apóstolos, foram enviados. Em lugar deles nasceram seus filhos, que foram estabelecidos como bispos. [...] A própria Igreja os denomina pais, aqueles que ela gerou, e estabeleceu nas sedes dos pais. [...] Esta é a Igreja Católica. Seus filhos foram estabelecidos príncipes sobre toda a terra; os filhos tomaram o lugar dos pais[1].

Esse é o verdadeiro ensinamento bíblico. Nossos sacerdotes são muito mais do que administradores ou funcionários. São

---

(1) Santo Agostinho, *Comentário aos Salmos*, 44, 32, Paulus, São Paulo, 2016.

padres. São pais. O sacerdócio sacramental é menos uma função cerimonial do que uma relação familiar.

Meu padre, portanto, é pai de uma grande família. Perante Deus, deve assumir a responsabilidade por milhares de pessoas. Sua paternidade não é meramente metafórica, pois a verdadeira paternidade envolve a transmissão da vida. Como pai biológico, eu transmiti a vida humana biológica; nos sacramentos do batismo e da Eucaristia, no entanto, o padre transmite a *vida divina* e a *humanidade divina* de Jesus Cristo.

Em virtude de sua paternidade espiritual, um padre ordenado merece nosso respeito – *todos* os padres, a despeito de suas fraquezas ou pecados. Quando disse *Honra teu pai e tua mãe* (Ex 20, 12), Deus não qualificou o mandamento. Não delimitou exceções. Quando um homem fracassa em seu sacerdócio, devemos rezar por ele, expor-lhe em particular as nossas preocupações e procurá-lo com outras testemunhas. Se nada disso der certo, devemos levar o caso ao bispo. Tudo deve ser feito sem que deixemos de honrar o homem, seu sacerdócio e sua paternidade. É isso o que os filhos fazem por seus pais (cf. Gn 9, 22-27).

Medite no coração

A razão que Deus tinha para gerar filhos – Ele, que há muito ama a humanidade – deixou de ser mencionada porque a geração de filhos perdeu para nós esse significado, uma vez que podemos ver, com nossos próprios olhos, como milhares de nações e povos, pertencentes às mais distintas cidades, territórios e campos, vêm e se congregam por meio do ensinamento evangélico de nosso Redentor, a fim de receber instrução divina pelo estudo do Evangelho. Convém aos mestres e arautos do verdadeiro culto a Deus que permaneçam livres das amarras que advêm da necessidade de ganhar a vida e das ocupações cotidianas. De fato, a esses homens agora se indica que se distanciem resolutamente do matrimônio, de modo que possam se dedicar a assuntos mais importantes. Eles agora se ocupam de gerar na santidade, e não carnalmente, seus descendentes; assumiram para si a tarefa de gerar, de educar de maneira agradável a Deus e de velar diariamente, não apenas um ou dois filhos, mas um número incontável de pessoas[2].

– Eusébio de Cesareia, século IV

---

(2) Eusébio de Cesareia, *Demonstração do Evangelho*, 1, 9.

22. Unção dos enfermos

Quando Jesus enviou os doze apóstolos, eles saíram pelo mundo e viram resultados imediatos. No Evangelho de São Marcos, descobrimos que eles *ungiam com óleo a muitos enfermos e os curavam* (Mc 6, 13). Os próprios apóstolos devem ter se espantado com o poder que emanava deles. Aquela, no entanto, não passava de uma sombra da tarefa que ainda estava por vir. Pois, como diz Jesus em outro ponto do Evangelho de São Marcos, perdoar os pecados é obra ainda maior do que curar mesmo os que estão mais gravemente doentes (cf. Mc 2, 9).

Jesus curava pessoas que possuíam doenças e limitações terríveis, e o fazia como sinal da cura do espírito: *para que saibais que este Homem tem autoridade na terra para perdoar pecados* (Mc 2, 10). Os sinais físicos estavam ali como indicação de uma realidade espiritual. Tratava-se de uma concessão à fraqueza humana.

De fato, depois de os apóstolos terem testemunhado muitas dessas maravilhas, Jesus assegurou-lhes que fariam obras *ainda maiores do que estas* (Jo 14, 12).

No início de seu ministério, os apóstolos faziam como Jesus e restauravam a saúde do corpo. Isso, no entanto, sinalizava a cura mais profunda que eles operariam por meio da Igreja depois de Pentecostes.

Vislumbramos o ministério de cura espiritual da Igreja na carta de São Tiago:

> *Está alguém enfermo? Chame os anciãos da Igreja, e estes façam oração sobre ele, ungindo-o com óleo em nome do Senhor. A oração da fé salvará o enfermo e o Senhor o restabelecerá. Se ele cometeu pecados, ser-lhe-ão perdoados* (Tg 5, 14-15).

Eis o sacramento que hoje conhecemos como unção dos enfermos.

No entanto, é justo perguntar por que a enfermidade *física* deve ser ocasião de cura *espiritual*. Há várias boas razões para isso. Uma delas está em que o sofrimento físico intenso frequentemente vem acompanhado de provações espirituais difíceis. Em condições extremas, é mais comum que sejamos tentados a duvidar da bondade e do poder de Deus, ou mesmo da sua existência. A esposa de Jó, por exemplo, esperava sinceramente que seu marido capitulasse diante do desespero e amaldiçoasse a Deus (cf. Jó 2, 9).

A unção sacramental nos dá a graça de que precisamos para enfrentar essas provações. Vejamos o que o óleo simbolizava para os primeiros cristãos. Ele curava e fortalecia. Era um ingrediente fundamental para a preparação de vários medicamentos; era também usado como bálsamo por atletas na arena. O azeite era a substância que, se esfregada contra a pele, fortalecia os lutadores antes de uma competição e permitia que escapassem dos seus oponentes.

Todos esses valores mundanos simbolizam o valor espiritual que a unção tem para os cristãos. Ela nos cura e nos fortalece espiritualmente para que possamos escapar das garras do demônio e resistir à batalha contra ele. Mais até do que resistir, ela nos permite triunfar, a fim de que sejamos *mais que vencedores pela virtude daquele que nos amou* (Rm 8, 37). A unção realiza até a grande maravilha a que Jesus aludiu no Evangelho de São Marcos: o perdão dos pecados. Desse modo, podemos enfrentar até a morte certa com uma mente serena e a consciência tranquila, na esperança legítima de que a morte será nossa passagem para a vida eterna.

Às vezes, a unção sacramental também traz a cura física, no caso de essa cura ser útil à salvação da alma. Esse efeito é maravilhoso, mas pouco usual; na verdade, é até menos maravilhoso do que os efeitos habituais do sacramento. É muito mais provável que a unção nos dê aquilo de que realmente precisamos: a aceitação humilde do nosso sofrimento, em união com o sofrimento de Cristo e em reparação dos pecados, sobretudo dos nossos. A unção nos ajuda a transformar o sofrimento físico em algo mais curativo – algo que verdadeiramente nos redime.

Este é o grande dom de Cristo ao seu povo sofredor: uma participação mais perfeita na sua vida. A Igreja primitiva reconhecia esse dom e demonstrava enorme gratidão por tê-lo recebido. O sacramento é exaltado entre os cristãos siríacos por seu grande pioneiro, Santo Afraates. É também enaltecido no Egito por São Serapião, companheiro de Santo Atanásio. O Papa Inocêncio I, por sua vez, deu instruções detalhadas ao clero romano para que o administrasse.

Jesus veio para trazer a *salvação*, palavra que, em línguas ancestrais, é sinônimo de «saúde». Suas curas físicas foram sinais exteriores de uma cura espiritual mais profunda e mais duradoura. Presume-se que todas as pessoas curadas por Ele durante seu ministério morreram de causas naturais; logo, presume-se também que a cura física tinha importância secundária e que estava subordinada a uma cura duradoura – uma cura espiritual, capaz de sobreviver até à morte do corpo.

Embora as curas de Jesus fossem primariamente espirituais, Ele as realizou por meios físicos, como quando ungiu os olhos de um cego com lodo feito de saliva e terra. Por que Deus escolheria manifestar seu poder de maneira tão humilde, tão mundana? Porque Ele nos fez e sabe que nós, seres humanos, aprendemos por meio de sacramentos e sinais sensíveis.

Além disso, a obra de Jesus não se dirigia apenas a um pequeno número de contatos numa região obscura, nem se restringiu ao curto período do seu ministério. Ele estabeleceu a Igreja na terra para que pudéssemos estender sua Encarnação – sua cura, sua salvação – no tempo e no espaço.

Medite no coração

O Antigo e o Novo Testamento dão lugar importante à doença e à cura, ensinando-nos a ver a relação entre ambas e a economia da salvação. A doença está ligada ao pecado e ao demônio; quando Deus cura os corpos, é também como forma de cuidar das almas; juntamente com a libertação dos possuídos, a cura dos doentes é um dos sinais do reinado do Messias.

Foi mediante o pecado que a doença entrou no mundo, junto com as agruras do trabalho, as dores do parto e a morte (cf. Gn 3, 15-19). Embora a doença não seja explicitamente mencionada na maldição de Adão e Eva, a tradição teológica sempre considerou (e com razão) que ela aí estivesse incluída.

[...] Embora Cristo tenha curado os doentes e dado poder à sua Igreja sobre as enfermidades, Ele não aboliu a doença. Também não aboliu a morte, a dor ou as agruras. Todavia, assim como a morte, a doença foi dominada; a era messiânica se estabeleceu de uma vez por todas. Na Jerusalém celeste, essas doenças não encontram lugar; aqui embaixo, elas ainda existem. No entanto, Cristo venceu o pecado e venceu Satanás, a causa do pecado. A doença, portanto, perdeu a qualidade de maldição. Ela pode ser redentora, possibilitando ao cristão ser como Cristo em sua Paixão e, ao mesmo tempo, testemunhar em si o poder do Cristo ressuscitado. Quando

Paulo implorou para que o Senhor apartasse dele o espinho que lhe feria a carne, o Senhor lhe respondeu: *É na fraqueza que se revela totalmente a minha força* (2 Cor 12, 9). Em sua própria carne, Paulo completa *o que falta às tribulações de Cristo* (Cl 1, 24). *Trazemos sempre em nosso corpo os traços da morte de Jesus para que também a vida de Jesus se manifeste em nosso corpo* (2 Cor 4, 10)[1].

– Aimé-Georges Martimort, século XX

---

(1) Aimé-Georges Martimort, *The Signs of the New Covenant*, Liturgical Press, Collegeville, 1963, págs. 264-265, 268.

PARTE VI
O tempero da vida

23. Incenso

O catolicismo chegou a ser chamado de religião dos «sinos e aromas». Nossa tradição mobiliza o indivíduo como um todo. Deus nos criou em unidade de corpo e alma, e nós nos voltamos inteiramente para Ele em adoração. Nós O adoramos *em espírito e verdade* (Jo 4, 24); em nosso «culto espiritual», também oferecemos nossos corpos *em sacrifício vivo* (Rm 12, 1). A Igreja, portanto, mobiliza tudo aquilo que somos, incluindo nossos sentidos corporais e espirituais. Na liturgia contemplamos o Evangelho, mas não só: também o ouvimos, vemos, sentimos, degustamos e cheiramos. Tocamos sinos para anunciar o aparecimento do Senhor. Queimamos incenso aromático diante do seu altar.

Eu me lembro da primeira vez em que fui a uma cerimônia litúrgica católica. Tratava-se da oração das Vésperas realizada num seminário bizantino. Meu passado calvinista não me havia preparado para aquela experiência – para o incenso e os ícones, para as prostrações e reverências, para o canto e os sinos. Todos os meus sentidos ficaram mobilizados. Depois da cerimônia, um seminarista me perguntou: «O que você achou?». Tudo o que consegui responder foi: «Agora eu sei por que Deus me deu um corpo: para adorar ao Senhor com seu povo na liturgia».

Nosso culto não é apenas bom e verdadeiro – é também

belo. E nós o fazemos belo porque ele se dirige a Deus. Há uma ou duas gerações, o incenso era usado com muito mais frequência na Missa. Não sou o primeiro convertido a confessar seu encanto pela experiência inicial do incenso; trata-se de uma experiência prazerosa, de uma experiência estética. Há boas razões para que os não católicos nos associem aos sinos e aos aromas. Esses elementos causam uma impressão profunda.

Tanto é assim que algumas pessoas de fato passaram a questionar se o incenso não seria uma distração do verdadeiro culto. Elas tinham receio de que o incenso pudesse reduzir a liturgia a uma mera experiência estética, a uma religião feita de coisas exteriores, e não de uma autêntica vida interior. Deus prevenira os israelitas quanto a essa afetação; por meio do profeta Isaías, Ele chegou a dizer: *Não me oferteis mais dons vazios, nem incenso execrável* (Is 1, 13).

Deus, no entanto, não estava abolindo as formas exteriores de culto. Antes, Ele queria que seu povo deixasse de negligenciar suas disposições interiores. Na verdade, por meio do profeta Malaquias, Ele prediz o dia em que *do nascente ao poente [...] e em todo lugar se ofereçam ao meu nome o incenso, sacrifícios e oblações puras* (Ml 1, 11).

O incenso de fato era – e continua sendo – parte importante da religião bíblica, uma vez que o próprio Deus cuidou para que fosse assim. A oferta de incenso era uma tarefa essencial dos sacerdotes da Antiga Aliança, e a lei ancestral tomou especial cuidado para prescrever suas fragrâncias, receptáculos e ritos (cf., por exemplo, Ex 30). Acerca do sumo sacerdote Aarão, Deus disse: *Escolhi os teus dentre todas as tribos de Israel para serem sacerdotes, subirem ao meu altar, queimarem o incenso* (1 Sm 2, 28).

E assim fizeram os sacerdotes desde o tempo de Moisés até o tempo de Jesus, e também mais além. Zacarias, que era parente de Jesus, estava cumprindo suas funções sacerdotais, queimando incenso no Templo, quando o anjo Gabriel apareceu diante dele. Ao que parece, era costume que *todo o povo* rezasse ali perto *durante a oferta do incenso* (Lc 1, 9-11).

O incenso se tornou a forma de culto mais emblemática. Grãos de incenso jogados num turíbulo com carvão quente se erguem em direção ao céu como fumaça perfumada. A intenção é sinalizar exteriormente o mistério interior que é a verdadeira oração. *Que minha oração suba até vós como a fumaça do incenso* (Sl 141, 2). A metáfora continuou válida para São Paulo (cf. Fl 4, 18). Fílon de Alexandria, teólogo judeu do século I d. C., via na liberdade com que a fumaça subia do incensário ao céu um símbolo das qualidades espirituais e racionais da humanidade, criada segundo a imagem divina. Quando o incenso era oferecido juntamente com um sacrifício animal, Fílon dizia que era símbolo da totalidade da natureza humana: corpo e alma eram entregues a Deus[1].

Para os profetas, o incenso era tão intimamente associado à ideia do culto que o ato de queimar incenso a ídolos era a imagem mesma da descrença. *Eu os condenarei pelos males que cometeram, por me haverem abandonado, ofertando incenso a outros deuses e adorando a obra de suas mãos* (Jr 1, 16).

Essa imagem também continuou sendo válida nos primeiros séculos do cristianismo. Naquela época, a lei romana exigia que todos os cidadãos queimassem incenso diante da divindade protetora do imperador. Ao jogar uma pitada de incenso ao fogo, alguns cristãos salvavam (temporariamente) suas vidas; por outro lado, também cometiam o pecado mortal da apostasia – trocavam o culto verdadeiro pelo falso e, ao fazê-lo, excomungavam-se da Igreja. Os cristãos que se mantinham fiéis chamavam os traidores de «turibulários», isto é, queimadores de incenso.

Assim, para todos os antigos, queimar incenso era o mesmo que realizar um ato de adoração rico em significado. Quando

---

(1) Fílon de Alexandria, *Das leis especiais*, 1, 171.

São João precisou descrever em palavras o culto dos anjos no céu, referiu-se à presença da fumaça que subia de uma grande quantidade de incenso (cf. Ap 5, 8). As orações dos santos na terra, diz ele, sobem ao céu como incenso (cf. Ap 8, 3-4).

O incenso faz parte do culto. Não se trata de um elemento necessário, mas é bonito e expressivo, digno do culto divino. Ao prescrevê-lo na Lei, Deus não o fazia por *Si mesmo*, mas por nós, para que pudéssemos enxergar a beleza do culto por meio desse sinal.

No tempo de Jesus, o incenso era queimado não apenas no Templo, mas também na refeição de «comunhão» – aquela mesma *chaburah* que vimos no Capítulo 4. Os rabinos debatiam longamente sobre o uso apropriado do incenso nesse ritual ambientado no aconchego do lar. (Sendo assim, quanto mais nós não devemos ser cuidadosos ao incorporar esse sinal aromático à Missa, a refeição da Nova Aliança!)

Os primeiros documentos cristãos – a *Didaquê*, as obras de São Justino e Santo Irineu – aplicavam a profecia de Ml 1, 11 à Eucaristia. Segundo eles, a Santa Missa era como as *oblações puras*, a oferta, *entre todas as nações e em todos os lugares*, de incenso ao Deus de Israel. São Paulo expressou-se bem ao comentar: *Mas graças sejam dadas a Deus, que nos concede sempre triunfar em Cristo, e que por nosso meio difunde o perfume do seu conhecimento em todo lugar. Somos para Deus o perfume de Cristo entre os que se salvam [...], odor de vida e que dá a vida* (2 Cor 2, 14-16).

Medite no coração

Soberano Senhor Jesus Cristo, Verbo de Deus, que te ofereceste livremente ao Pai como sacrifício inocente na Cruz, concede que a santa e mística brasa de tua dupla natureza, a mesma que tocou os lábios do Profeta purificando os seus pecados, toquem também os nossos corações pecadores e nos purifique de toda mancha, para que possamos nos apresentar irrepreensíveis diante do teu santo altar, e te oferecermos um sacrifício de louvor. Aceita o incenso que te oferecemos, nós, pecadores e servos inúteis, como aroma de espiritual suavidade; purifica nossas almas e nossos corpos com a energia santificadora do teu Santo Espírito [...].

Recebe de nossas mãos pecaminosas este incenso, assim como aceitaste a oferta de Abel, a de Noé, de Aarão, Samuel e de todos os teus santos. Guarda-nos de todo mal e salva-nos, para que possamos alegrar-te e adorar-te, incessantemente [...].

Cheios da alegria, ó Senhor, em comunhão contigo, nós te elevamos um hino de ação de graças, fruto dos lábios que confessam o teu amor com este incenso; que ele suba a ti, ó Senhor; não o recuse, por causa de nossa nulidade, mas, concede-nos a fragrância de teu santíssimo Espírito, crisma imaculado e inalterável. Enche nossas bocas com o teu louvor, os nossos lábios com a tua alegria, e o nosso coração com o júbilo e a graça do teu Cristo Jesus nosso Senhor com quem é bendito, com teu Espírito Santo, agora e sempre e pelos séculos dos séculos[2].

– Preces do incenso, da Divina Liturgia de São Tiago, século IV (ou anterior)

---

(2) João Manuel Sperandio e Paulo Augusto Tamanini (orgs.), *Rito de Jerusalém: a Divina Liturgia de S. Tiago, irmão do Senhor*, EDUFPI, Teresina, 2016.

24. Velas

Quando o povo de Israel prestava culto no Antigo Testamento, fazia-o em meio a várias luzes tremeluzentes. *Salomão mandou ainda fabricar [...] os candelabros de ouro fino, cinco à direita e cinco à esquerda, diante do santuário* (1 Rs 7, 48-49). Tão importantes eram esses candelabros que o principal, a Menorá, tornou-se o símbolo mais conhecido do judaísmo. Ela aparece em inúmeras moedas, amuletos e lâmpadas na Antiguidade. Quando quis imortalizar sua conquista de Jerusalém, o imperador romano Tito o fez com uma imagem de suas tropas levando a Menorá consigo.

Tudo leva a crer que os apóstolos viam sua Eucaristia como uma continuação do culto no Templo. Ela se apresentava, na verdade, como realização plena desta. Isso fica evidente na linguagem cerimonial utilizada pelos Padres Apostólicos (*sacrifício*, *oferenda* e *altar*, por exemplo), e é algo reconhecido tanto por estudiosos bíblicos judeus quanto por estudiosos bíblicos cristãos. Em seu comentário sobre o Levítico, Baruch Levine escreve: «O culto cristão, na forma da Missa tradicional, proporciona ao devoto a experiência do sacrifício e da comunhão e proclama que Deus está presente. A Igreja cristã é, portanto, um templo»[1].

---

(1) Baruch Levine, *Leviticus*, pág. 217.

A geração dos apóstolos observou essa continuidade de diversas maneiras, empregando na liturgia muitos dos detalhes que eram antes associados ao culto no Templo. Isso fica evidente no tratamento dado pelo Novo Testamento às luzes e lâmpadas.

Numa das primeiras descrições da liturgia cristã, encontramos São Paulo pregando em uma sala lotada. São Lucas nota que *Havia muitas lâmpadas no quarto onde nos achávamos reunidos* (At 20, 8). Seria um exagero acender tantas luzes em um espaço tão pequeno, a menos que elas tivessem um propósito cerimonial, e não apenas utilitário.

Quando chegamos ao Apocalipse, no final do Novo Testamento, São João nos mostra o culto celeste por meio de imagens que não cessam de refletir o culto terreno. Há candelabros por toda parte. As luzes brilham como símbolo da vida da Igreja. Se a devoção de alguma igreja está se deixando levar pela indolência, João alerta que Deus pode remover seu candelabro (cf. Ap 2, 5). Numa imagem litúrgica impressionante, Cristo aparece vestido como sacerdote entre as luzes de vários candelabros (cf. Ap 1, 12-13). Essa era sem dúvida uma imagem familiar – a imagem de um clero cristão que oferecia a liturgia *na pessoa de Cristo* (*en prosopo Christou*; cf. 2 Cor 2, 10).

A lâmpada em si era símbolo de Jesus Cristo, que repetidas vezes falou sobre seu Evangelho – e até sobre Si mesmo – em termos relacionados à luz. *Eu sou a luz do mundo; aquele que me segue não andará em trevas, mas terá a luz da vida* (Jo 8, 12). Na Igreja primeva, *iluminação* (termo às vezes traduzido como «esclarecimento») estava entre os sinônimos mais comuns para o batismo (cf. Hb 10, 32). Ainda hoje, na liturgia da Vigília Pascal – a grande celebração batismal da Igreja –, o padre ergue o Círio Pascal e proclama três vezes: «Eis a luz de Cristo».

A lâmpada é um símbolo de Cristo, da presença de Deus entre nós, mas não só. Cristo não veio somente para iluminar nosso caminho, mas também para nos dar sua luz a fim de que a tomemos como nossa. O Deus-homem que se revelou para ser luz do mundo também disse a seus discípulos: *Vós sois a luz do mundo* (Mt 5, 14). Os cristãos se identificam tão intimamente com Cristo que chegam, por meio da iluminação, a ser luz também. Somos partícipes da divina luz (cf. 2 Pe 1, 4); por meio da graça, essa passa a ser também a nossa natureza!

Os primeiros Padres da Igreja atestam o uso abundante de luzes no culto cristão, uso este que ultrapassava em muito a mera funcionalidade. São Jerônimo, maior estudioso das Escrituras no mundo antigo, regozijava-se com esse costume da Igreja: «sempre que o Evangelho será lido, e não obstante o entardecer ainda tinja o céu de vermelho, acendem-se as velas – não para espantar a escuridão, é claro, mas como forma de demonstrar nossa alegria»[2].

Novamente, as velas representam a luz de Cristo, mas essa é uma luz que Ele compartilhou com seu povo escolhido: os santos. Jerônimo nota que Jesus descreveu São João Batista como *lâmpada que arde e ilumina* (Jo 5, 35). Por isso, os cristãos até hoje seguem o exemplo de Jesus quando acendem velas nas capelas dos santos. Jerônimo recorda o funeral de uma santa de nome Paula, cujo corpo foi conduzido em procissão por vários bispos que portavam luzes[3]. Ele também descreve os numerosos pavios que queimavam nos templos dos mártires[4]. Ainda hoje nós acendemos velas nos templos dos santos; nós unimos nossas preces às deles.

Santo Atanásio de Alexandria referiu-se às velas votivas como uma «oferenda» dos fiéis. Quando muitas delas são acesas (diante de uma imagem de Jesus, de Maria ou dos santos), Deus, que compartilhou sua glória conosco, é enormemente

---

(2) São Jerônimo, *Contra Vigilâncio*, 7.
(3) *Idem, Cartas*, 108.
(4) *Idem, Contra Vigilâncio*, 7.

glorificado. São Paulino de Nola descreveu da seguinte maneira um templo que encontrou no fim do século IV:

> Coroados os altares de lume,
> Da cera das velas sobe o perfume,
> Cada pavio sua luz irradia
> Que a noite alegra, e até mesmo o dia,
> [...] velas mil cuja chama não varia[5].

Diz São Jerônimo: «Sob a imagem da luz material está representada a luz sobre a qual lemos nos Salmos: *Vossa palavra é um facho que ilumina meus passos, uma luz em meu caminho* (Sal 119, 105)». Essa luz é Cristo. E, pela graça de Cristo, é também a luz de seus santos. Somos eu e você.

Deixemo-la brilhar!

Medite no coração

As lâmpadas que acendeis são sacramento da iluminação [do batismo] que nos há de levar ao encontro do Noivo como almas radiantes e virgens, tendo acesas as lâmpadas da nossa fé e sem que durmamos em virtude do desleixo, de modo a não perdermos Aquele que buscamos caso venha inesperadamente; tampouco nos pegaremos desabastecidos, sem azeite, carentes de boas obras, a fim de que não sejamos impedidos de entrar na sala das bodas [cf. Mt 25, 1-13]. Ora, bem vejo o quão lamentável é uma situação assim. Ele virá quando o clamor demandar o encontro, e os prudentes hão de encontrá-lO com sua chama reluzente e provisões abundantes[6].

— São Gregório de Nazianzo, século IV

---

(5) São Paulino de Nola, *Carmina*, 111.
(6) São Gregório de Nazianzo, *Oração 40*, 46.

25. Imagens sacras

Um mosaico colossal – *Cristo em majestade* — domina a igreja superior da Basílica do Santuário Nacional da Imaculada Conceição, em Washington, D.C. Trata-se de uma representação arrebatadora de Jesus, na qual sua paixão é contida apenas pela fixidez do estilo bizantino.

Essa imagem me toca de muitas formas. Em meus primeiros anos como cristão – na adolescência, na faculdade e no seminário de preparação para o ministério presbiteriano –, minha formação foi predominantemente calvinista, tradição protestante que enfatiza a soberania e o juízo de Deus. *Porque o Senhor é nosso juiz, o Senhor é nosso legislador; o Senhor é nosso rei que nos salvará*, diz o profeta Isaías (Is 33, 22). É assim que Jesus aparece naquela basílica. A ironia é que meu passado calvinista me preparara para pensar sobre Cristo dessa maneira, mas não para *vê-lO* assim – pelo menos não nesta vida. O reformador João Calvino foi um opositor feroz das imagens devocionais, dando preferência, antes, a paredes sem ornamento e até cruzes sem Cristo. Ele defendia que as imagens (mesmo as de Cristo) representavam uma tentação à idolatria, isto é, à adoração de um signo temporal no lugar do Senhor soberano e transcendente.

Já faz mais de duas décadas que me tornei católico romano. No entanto, toda vez que me ajoelho aos pés dessa imagem tão poderosa, fico pensando se são meus resquícios interiores de calvinismo o que me leva a ficar emocionado com aquela expressão da soberania divina – emocionado, no entanto, como só mesmo um católico poderia ficar diante de uma imagem sacra.

Há alguns anos, um ensaísta apelidou essa imagem de «Jesus assustador». Ela de fato é um pouco assustadora, e sem dúvida viola os cânones da indústria cristã de cartões comemorativos. As imagens cristãs contemporâneas nos fazem imaginar o Senhor dando aquele apoio moral ao goleiro durante um jogo de futebol estudantil, ou então abraçando adolescentes num baile de formatura. Nas imagens modernas, Jesus frequentemente parece ser um cara legal que acabou ficando de fora das capas da *Saturday Evening Post* ilustradas por Norman Rockwell[1]. O «Jesus assustador» não cabe nesse perfil.

No entanto, o *Cristo em majestade* contém um paradoxo ainda mais inquietante. O mosaico retrata Cristo no juízo, como talvez O venhamos a encontrar no livro do Apocalipse. Todavia, não é verdade que esse mesmo livro também retrata Cristo como um cordeiro, tão dócil que parece já ter sido imolado (cf. Ap 5, 6)? Não é verdade que o Verbo se fez carne num homem que abençoou os mansos e não revidou ofensas?

A imagem nos força a confrontar uma aparente contradição no cristianismo: nosso Senhor é um juiz justo, um sentenciador poderoso cuja ira é capaz de enviar pecadores mortais ao inferno; no entanto, é também misericordioso e manso como um humilde animal no celeiro.

---

(1) Ilustrador americano nascido no fim do século XIX. Ficou famoso sobretudo pelas capas da revista *Saturday Evening Post*, as quais ilustrou por quase cinco décadas, sempre com foco na vida cotidiana dos Estados Unidos. (N. do T.)

Algumas pessoas tentaram conciliar essas imagens tornando-as sequenciais. Segundo elas, Jesus foi flexível e brando em sua primeira vinda, mas na segunda a coisa vai ficar feia. Não haverá mais essa história de «Jesus bonzinho». Bom, há muitas razões pelas quais isso não funciona: primeiro, porque os Evangelhos nos mostram que Jesus descarregou, sim, sua ira em homens perversos durante sua vida na terra; segundo, porque o livro do Apocalipse apresenta nosso Senhor como cordeiro até o fim, na consumação de toda a história humana.

Portanto, a qual deles devemos prestar culto? Qual deles devemos contemplar? O juiz ou o cordeiro? O «Jesus assustador» ou o «Jesus bonzinho»? Qual é o verdadeiro Senhor e Cristo?

A verdade dogmática diz que não precisamos escolher. O mistério da encarnação exige que aceitemos a perfeita união de muitas coisas aparentemente incompatíveis: o finito contém o infinito; o eterno penetra no tempo; o cordeiro sacrificial preside o Dia da Ira.

Essa não é uma sutileza reservada aos teólogos. Estivadores e criadores de frango, lavadeiras e costureiras – todos sabem disso desde o nascimento da Igreja. Mesmo os cristãos iletrados conseguiam conhecer a verdade de Cristo graças a imagens sagradas como o *Cristo em majestade*.

No século VIII, surgiu um movimento nas igrejas orientais que propunha acabar com as imagens religiosas. Tratava-se de um movimento de elite – de intelectuais, teólogos e imperadores. Eles achavam que os ícones eram um insulto à glória e majestade de Deus, que não poderiam ser verdadeiramente retratadas. O Deus transcendente deve ser adorado apenas com o intelecto, diziam. Então, eles receberam uma licença imperial para destruir os ícones nas igrejas, e por isso receberam o nome de *iconoclastas*, isto é, destruidores de imagens.

Os santos, no entanto, se opuseram a essas elites... e venceram. Esses santos chamavam a si mesmos de *iconodulistas* – «aqueles que honram os ícones». Eles argumentavam que, como Deus havia consentido em se fazer carne, as pessoas comuns tinham o direito de contemplá-lO em forma material. São Teodoro Estudita, o mais eloquente dos iconodulistas, escreveu que Cristo

> não abandona a elevada realidade de sua divindade, que é imaterial e não pode ser circunscrita; todavia, parte é da sua glória rebaixar-Se tão nobremente ao nosso nível, de forma que passa a estar circunscrito em seu corpo. Ele, que sustenta tudo o que existe, tornou-se matéria, isto é, carne. Ele, ademais, não envergonha-se de ter Se tornado o que Se tornou e de ser chamado pelo nome correspondente[2].

Aquilo que a face do Jesus humano revelou ao longo de sua vida no século I é revelado hoje pelas imagens sacras. Mesmo as imagens que retratam Jesus como um governante e um juiz também o retratam como homem e nos lembram da sua humildade, da sua disposição para adotar a condição humana, repleta como é de fraquezas. Ao longo da história, algumas pessoas sentiram-se escandalizadas pelo fato de Deus ter assumido a carne humana em Jesus, pelo fato de Ele ter sangrado e morrido. Queriam que Deus ficasse em segurança no céu, como ser puramente divino. Não pode ser isso, porém, o que aconteceu, uma vez que o Verbo, como recorda o Evangelho de João, Se fez carne e habitou entre nós. E Ele ainda possui aquela carne. Ele não se desfez dela na hora da morte, como uma cobra se desfaz da própria pele. Ele glorificou aquela carne e agora a oferece como amor ao Pai. O escândalo que essas imagens despertam é simplesmente o escândalo da Encarnação, com todos os seus paradoxos.

---

(2) São Teodoro Estudita, citado em Cristoph Schönborn, *God's Human Face*, Ignatius, São Francisco, 1994, pág. 234.

Medite no coração

Já que alguns nos consideram em erro por venerar e honrar a imagem do nosso Salvador e de Nossa Senhora, bem como as imagens dos outros santos e servos de Cristo, recordamos a eles que no princípio Deus criou o homem à sua imagem (cf. Gn 1, 26). Com base em que, portanto, honramos uns aos outros, senão pelo fato de que somos feitos à imagem de Deus? Pois, como diz Basílio, versado intérprete das coisas divinas, a honra dada à imagem é transferida para o protótipo. [...] Por qual motivo o povo dos mosaicos honrava o tabernáculo (cf. Ex 33, 10), que continha uma imagem das coisas celestiais, ou ainda de toda a Criação? De fato, Deus diz a Moisés: *Cuida para que se execute esse trabalho segundo o modelo que te mostrei no monte* (Ex 25, 40). Também os querubins que se colocam acima do propiciatório – não seriam obra de mãos humanas (cf. Ex 25, 18)? Além disso, o que é o célebre Templo de Jerusalém? Não é verdade que foi feito à mão e projetado com habilidade humana (cf. 1 Rs 8)?

[...] Nas profundezas da sua piedade, Deus tornou-se homem para a nossa salvação [...], viveu na terra e habitou entre os homens (cf. Br 3, 38), fez milagres, sofreu, foi crucificado, ressuscitou e foi levado aos céus. Uma vez que todas essas coisas de fato aconteceram e foram vistas pelos homens, foram também escritas para a nossa recordação e instrução, pois não estávamos vivos naquele tempo; assim, mesmo não tendo visto, podemos obter a bênção do Senhor se ouvirmos e acreditarmos. Nem todos, contudo, são capazes de ler; nem todos têm tempo para ler. Por isso, os Padres aprovaram a representação desses acontecimentos por meio de imagens [...], de maneira que formassem um memorial conciso do que se passou. Com frequência, é claro, quando não temos a Paixão do Senhor em mente e vemos uma imagem do Cristo crucificado, sua Paixão salvadora nos volta à memória, e nos ajoelhamos e adoramos não o material, mas antes o que é retratado – assim como não adoramos o material do qual são feitos os Evangelhos, nem o material da Cruz, mas as coisas que simbolizam. [...] O mesmo se dá com a Mãe do Senhor. Ora, a honra que dedicamos a ela refere-se ao que se fez carne a partir dela. [...] A honra oferecida à imagem é transferida para o protótipo[3].

— São João Damasceno, século VIII

---

(3) São João Damasceno, *Exposição da fé ortodoxa*, 4, 16.

26. Relíquias

Os santos correspondem à graça de Deus de maneira tão plena que, mesmo passados mil anos ou mais desde que seus corpos caíram sem vida, seus ossos continuam sendo canal de graça. Muito antes da vinda de Cristo, o profeta Ezequiel contemplou a visão de um campo de ossos secos, para os quais o Senhor Deus disse: *Vou fazer reentrar em vós o sopro da vida para vos fazer reviver* (Ez 37, 5). O Senhor Deus então soprou sobre os ossos e eles recobraram a vida. O sopro de Deus, no entanto, faz ainda mais: faz com que os ossos do seu povo escolhido não apenas voltem à *vida*, mas passem a ser realmente *vivificantes*.

Vejamos outra história do tempo dos profetas. *Ora, aconteceu que um grupo de pessoas, estando a enterrar um homem, viu uma turma desses guerrilheiros e jogou o cadáver no túmulo de Eliseu. O morto, ao tocar os ossos de Eliseu, voltou à vida e pôs-se de pé* (2 Rs 13, 21). Pelo mero toque nos ossos do profeta Eliseu, a vida voltou ao corpo de um homem morto, tamanha é a graça de Deus em sua atuação por meio dos corpos dos santos. Esse princípio valeu para a Antiga Aliança tanto quanto vale para a Nova, e o profeta Eliseu o compreendeu em vida. Certa feita, quando precisou atravessar um rio, ele feriu as águas com o manto de seu mestre Elias, e elas se abriram diante dele (2 Rs 2, 14). No tempo de Jesus, os fiéis encaravam a doutrina das relíquias como algo totalmente natural. Nos Evangelhos, encontramos uma mulher que vivia *atormentada por um fluxo de sangue havia doze anos*. Embora tivesse desistido dos médicos, ela sabia que podia confiar no toque de algo que, por sua vez, havia tocado o sagrado. Quando Jesus passou, ela disse a si mesma: *Se eu somente tocar na sua vestimenta, serei curada* (Mt 9, 20-21). E ela de fato se curou.

Antes de ascender ao céu, Jesus soprou sobre sua Igreja (cf. Jo 20, 22) e lhe confiou seu Espírito vivificante. Com isso, seu ministério de cura foi transmitido para os santos. No Novo Testamento, podemos encontrá-los ocupados com essa tarefa:

> *Cada vez mais aumentava a multidão dos homens e mulheres que acreditavam no Senhor. De maneira que traziam os doentes para as ruas e punham-nos em leitos e macas, a fim de que, quando Pedro passasse, ao menos a sua sombra cobrisse alguns deles. Também das cidades vizinhas de Jerusalém afluía muita gente, trazendo os enfermos e os atormentados por espíritos imundos, e todos eles eram curados* (At 5, 14-16).

Décadas se passaram, e Deus *ainda fazia milagres extraordinários por intermédio de Paulo, de modo que lenços e outros panos que tinham tocado o seu corpo eram levados aos enfermos; e afastavam-se deles as doenças e retiravam-se os espíritos malignos* (At 19, 11-12).

Bastava encostar no corpo de um apóstolo, tocar seus lenços e panos, ou mesmo apenas sua sombra!

Não é de admirar que os primeiros cristãos tenham continuado a confiar profundamente nas relíquias dos santos. Os arqueólogos têm copiosas evidências dessa devoção, que remonta às mortes de São Pedro e São Paulo em Roma. Os fiéis tiveram o cuidado de preservar seus restos mortais, e peregrinos iam até a cidade para venerá-los e tocá-los.

No entanto, a Igreja não reservou uma tal veneração exclusivamente aos ossos dos apóstolos. Os primeiros cristãos construíram muitas igrejas sobre os túmulos dos mártires. Esse era um rompimento decisivo com as tradições dos romanos e dos judeus, os quais, como a maioria dos povos antigos, consideravam os corpos humanos degradantes e impuros – mortíferos, em vez de vivificantes.

Os cristãos, por sua vez, acreditavam na «admirável permuta»: Cristo se tornou o que somos para que pudéssemos nos tornar o que Ele é. Ele veio para divinizar nosso corpo, nossa alma, nossa carne, nossos ossos e nosso sangue. Por isso, os corpos dos santos agora transmitem ao mundo a vida de Cristo.

Os cristãos celebravam esse fato com grande alegria, com grande pompa e grandes igrejas. A Basílica de São Pedro, a de São Paulo Extramuros... Ambas são relicários grandiosos, construídos sobre túmulos. O imperador Juliano, que no século IV liderou a investida de repaganização do Império Romano, detestava os cristãos pelo culto que prestavam às relíquias: «Vós enchestes o mundo de tumbas e sepulcros»[1], dizia.

Dentro das basílicas, a Igreja construiu altares imediatamente acima das tumbas dos apóstolos e mártires. Com o tempo, passou a ser costume entre as paróquias católicas depositar pequenas relíquias dos santos em uma cavidade vedada dentro do altar da igreja. Desse modo, todas as igrejas da face da terra podiam seguir, de maneira consciente, o culto espiritual que São João vislumbrou no céu: *Quando abriu o quinto selo, vi debaixo do altar as almas dos homens imolados por causa da palavra de Deus e por causa do testemunho de que eram depositários* (Ap 6, 9).

As relíquias mais preciosas da Igreja, entretanto, são aquelas associadas à vida e ao ministério de Jesus, bem como à sua Paixão e morte. Por isso, o cristianismo como um todo contribui para a manutenção dos templos localizados na Terra Santa,

---

(1) Juliano, o Apóstata, citado em Peter Brown, *The Cult of the Saints: Its Rise and Function in Latin Christianity*, University of Chicago Press, Chicago, 1982, pág. 7.

onde Jesus viveu sua vida terrena. A Igreja do Santo Sepulcro foi construída sobre a tumba de Jesus, assim como a Igreja da Natividade se ergue sobre o local em que a Tradição diz ter ocorrido seu nascimento. Documentos datados do século IV revelam a intensidade da devoção dos cristãos em relação ao lenho da Cruz original. Na verdade, as pessoas às vezes se deixavam levar por essa devoção. Em tempos antigos, durante a Semana Santa, o bispo de Jerusalém costumava convocar sua congregação para beijar as relíquias da Cruz, e houve ano em que um homem chegou a morder e arrancar um pedaço da madeira antes de se retirar!

Por isso, enfatizo: não estou dizendo que a doutrina das relíquias foi entendida com clareza sempre e em todo lugar. No entanto, o que valia para a Igreja primitiva continua valendo até hoje: venerar relíquias é algo distinta e caracteristicamente cristão.

Medite no coração

[Dirigindo-se a Vigilâncio, herege que rejeitava a veneração das relíquias.]

Conta-nos mais claramente – para que não haja limitação na tua blasfêmia – o que queres dizer com «um punhado de pó envolto em panos caros num recipiente minúsculo».

Não são nada menos do que as relíquias dos mártires o que incomoda a ele ver coberto de véu caro, em vez de atado com trapos ou lenços de cabeça, ou mesmo lançado ao esterco, de modo que apenas Vigilâncio pudesse ser, em seu ébrio sono, adorado.

Seremos, portanto, culpados de sacrilégio quando adentramos as basílicas dos apóstolos? Terá caído em sacrilégio o imperador Constâncio I quando transferiu as relíquias sagradas de André, Lucas e Timóteo a Constantinopla? Os demônios bradam na presença desses homens (cf. At 8, 7; 5, 16) – e os demônios que habitam em Vigilâncio confessam sentir a influência dos santos. E, nos dias de hoje, seria o imperador Arcádio culpado de sacrilégio por ter, depois de tanto tempo, levado da Judeia à Trácia os ossos do bem-aventurado Samuel? Devemos, pois, considerar todos os bispos não apenas sacrílegos, mas também tolos, uma vez que carregaram todas essas coisas insignificantes, pó e cinzas, envoltas em seda e armazenadas em recipiente de ouro? Seriam tolos os fiéis de todas as igrejas, uma vez que foram ao encontro das relíquias sagradas e as receberam com alegria tal que era como se acolhessem um profeta vivo em seu meio, de maneira que uma multidão de pessoas, da Palestina à Calcedônia, recitou a uma só voz as orações de Cristo?

[...] Mostras descrença porque pensas somente em corpos sem vida; com isso, blasfemas. Lê o Evangelho: *Eu sou o Deus de Abraão, o Deus de Isaac e o Deus de Jacó. Ora, ele não é Deus dos mortos, mas Deus dos vivos* (Mt 22, 32). Se, portanto, estão vivos, não são, para usar tua expressão, mantidos em confinamento honorável[2].

– São Jerônimo, século V

---

(2) São Jerônimo, *Contra Vigilâncio*, 5.

27. Jejum e mortificação

Às vezes alguém diz que o jejum e a disciplina do corpo são expressões «antiquadas» da espiritualidade católica. Isso não é verdade, porém. Enquanto formos seguidores de Cristo, teremos de negar a nossos corpos aquilo que eles desejam. Jesus disse: *Se alguém quiser vir comigo, renuncie-se a si mesmo, tome sua cruz e siga-Me* (Mt 16, 24). São Paulo declarou o mesmo, em termos mais fortes, quando se dirigiu aos colossenses: *Mortificai, pois, os vossos membros no que têm de terreno* (Cl 3, 5).

Todas as coisas terrenas são boas, pois foram feitas por Deus. No entanto, não há dúvida de que há algo de errado no desejo que nutrimos por muitas delas. Se houver ocasião, a maioria de nós comerá mais do que nossos corpos necessitam, o que não nos faz bem. No fundo, isso pode ser até pior para a alma do que é para o corpo: ficamos, afinal de contas, apegados às coisas criadas e ao prazer que elas nos trazem, e depois de algum tempo acabamos por preferir o prazer aos bens espirituais. Nós preferimos tirar uma soneca ou assistir a uma série de humor a rezar o Terço; preferimos acompanhar determinado programa de rádio mesmo sabendo que seu apresentador nos tenta contra a caridade ao menosprezar os políticos; procuramos com toda a avidez mais uma cerveja, embora saibamos que nosso médico e nosso confessor se opõem a essa decisão...

Santo Agostinho dizia que o pecado começa como um voltar-se para longe de Deus e na direção de bens menores. Quando pecamos, não escolhemos o mal. Escolhemos algo menor do que Deus e sua vontade.

Repito: sentimo-nos inclinados a isso por causa dos nossos corpos. Desde o pecado de nossos primeiros ancestrais, nossos apetites corporais estão desordenados. Enquanto tivermos corpos, portanto, será preciso discipliná-los. Nossos corpos querem mais do que precisam, e por isso precisamos dar-lhes menos do que desejam.

E como fazer isso? Os métodos não são diferentes daqueles que usamos para alcançar objetivos difíceis na terra. Se queremos entrar em forma, o que devemos fazer? Exercícios. Dieta. Quanto maior o esforço, melhores serão os resultados. Se queremos progredir profissionalmente, o que fazemos? Abrimos mão dos prazeres e passamos mais tempo concentrados no trabalho. Basta pensar naquela máxima motivacional: *no pain, no gain*. Sem sacrifício não há benefício. Um contador amigo me disse que há um lema informal na empresa onde ele trabalha: «Não namore, faça hora extra».

Tanto para os objetivos terrenos quanto para os celestes, nosso corpo necessita de disciplina. Ele precisa estar sujeito à nossa razão. Caso contrário, a ordem se inverte: nossa razão passa a ficar sujeita ao corpo. Os primeiros cristãos sabiam disso e jejuavam frequentemente. São Paulo ia ainda mais longe: *castigo o meu corpo e o mantenho em servidão* (1 Cor 9, 27).

Quando jejuamos, imitamos modelos bíblicos consistentes. Moisés e Elias jejuaram antes de entrar na presença de Deus (cf. Ex 34, 28; 1 Rs 19, 8). A profetisa Ana jejuou para se preparar para a vinda do Messias (cf. Lc 2, 37). Jesus também jejuou (cf. Mt 4, 2), embora não precisasse de purificação. Deve ter jejuado, portanto, para que O imitássemos. Na verdade, Ele partia do princípio de que seguiríamos seu exemplo. *Quando jejuardes*, disse ele, *não tomeis um ar triste como os hipócritas* (Mt 6, 16). Ele não disse «se», mas «quando».

A Igreja exige que observemos certas disciplinas. Temos de jejuar por uma hora antes de receber a Santa Comunhão. Trata-se de um sacrifício pequeno, que pode inclusive produzir em nós certa «fome sacramental» – não somente a fome pelo sacramento, mas também uma fome que é em si o sinal corpóreo de uma realidade espiritual: nosso desejo de união com o Senhor. Certamente era por isso que os apóstolos jejuavam em preparação para a liturgia (cf. At 13, 2-3).

Precisamos fazer jejuns mais substanciais em dois dias do ano: na Quarta-feira de Cinzas e na Sexta-feira Santa. Nesses dias, só podemos fazer uma refeição completa, e ela não deve ser maior do que as outras duas refeições somadas. Também nesses dois dias e em todas as sextas-feiras da Quaresma, não podemos comer carne (na verdade, a Igreja sugere que nos abstenhamos de carne em todas as sextas-feiras do ano, ou que troquemos a abstenção por algum sacrifício).

Se tomamos como medida os sacrifícios que fizemos em outras áreas da vida (na escola, no trabalho, na criação dos filhos, e até nos esportes), isso não é muita coisa. Todavia, a atenção que damos a essas pequenas renúncias deve ser um indicador de como anda a fidelidade à autonegação diária que Jesus exige de nós. Devemos fazer disso um hábito e dar preferência àqueles sacrifícios que trazem alegria aos outros: assistir ao filme que a esposa ou o marido escolheu, deixar aqueles últimos pedaços do lanche para as crianças...

Pela autonegação voluntária, devolvemos a Deus o que é dEle e demonstramos nossa preferência pelos bens espirituais. Em seu devido tempo, todas as coisas boas da vida se esvairão, uma de cada vez. Não seria muito melhor para nós se renunciássemos a elas voluntariamente, por amor? Se nossa autonegação for costumeira, talvez não fiquemos tão amargos quando a idade nos tirar certos prazeres – e ela certamente o fará, sem pedir licença. O escritor católico Jorge Luis Borges escreveu um texto que retrata simbolicamente os limites do prazer sensorial. O narrador, um senhor de idade, sonha que nossa capacidade de desfrutar dos prazeres terrenos é limitada a partir de um número predefinido de fruições: «Esgotarás a cifra que corresponde ao sabor do gengibre e continuarás vivendo. Esgotarás a cifra que corresponde à lisura do cristal e continuarás vivendo alguns dias»[1].

Todos teremos de encarar a morte um dia. Alguns o fazem com serenidade e até mesmo alegria, na expectativa da plenitude e dos ganhos. Outros o fazem na miséria, por causa de suas perdas.

Se a vida inteira é uma preparação para o momento da morte, o conselho de Jesus a respeito da negação de si faz mesmo sentido. *Assim também vós: sem dúvida, agora estais tristes, mas hei de ver-vos outra vez, e o vosso coração se alegrará e ninguém vos tirará a vossa alegria* (Jo 16, 22).

Quando jejuardes, disse Jesus, *não tomeis um ar triste*. Nós, que jejuamos, temos razões de sobra para nos regozijarmos. Quando vivemos dessa maneira, imitamos a Cristo, que desfrutou da liberdade perfeita, uma vez que nada Lhe podia ser tirado por ninguém. Ele já havia renunciado voluntariamente até a Si próprio (Jo 10, 17).

Imitá-lO já seria suficiente, mas ainda fazemos mais. Nós participamos da sua vida e do seu divino trabalho de redenção. Podemos aplicar os frutos da nossa autonegação a outras pessoas, como um ato de amor. A exemplo de São Paulo, podemos dizer: *Agora me alegro nos sofrimentos suportados por vós. O que falta às tribulações de Cristo, completo na minha carne, por seu corpo que é a Igreja* (Cl 1, 24).

---

(1) Jorge Luis Borges, «Sonho sonhado em Edimburgo», em *Poesia*, Companhia das Letras, São Paulo, 2009.

Medite no coração

Recorramos o quanto antes ao jejum, à oração e à esmola, e a Deus entreguemos tudo quanto nos pode ser tirado. Se o demônio incute em nossas cabeças a salvação da nossa terra e nossos bens, lembremos que não podemos salvá-los por muito tempo. Se nos amedronta com o exílio e a fuga de nosso país, lembremos que nascemos para a vastidão do mundo, e não qual uma árvore presa num lugar só, e que Deus estará sempre conosco, onde quer que estejamos[2].

– São Thomas More, século XVI

---

(2) São Thomas More, citado em E. E. Reynolds (org.), *The Heart of Thomas More*, Burns and Oates, Londres, 1966, págs. 170-171.

Parte VII
Vida abundante

28. Confissão

A confissão sempre foi a maneira pela qual o povo de Deus se arrependeu, se curou e se reconciliou. Já nas primeiras páginas da Bíblia, Deus pergunta a Adão: *Onde estás?* (Gn 3, 9). Adiante, questiona o assassino Caim: *Onde está seu irmão Abel?* (Gn 4, 9). O Todo-Poderoso não está em busca de informações. Ele já sabe de tudo. Antes, Deus está atrás da única coisa que Adão ou Caim deveriam ter feito e não fizeram: uma confissão completa. E Ele o desejava pelo bem deles, para que pudessem viver de novo na verdade. Infelizmente, a confissão não veio.

Leia o restante do Antigo Testamento e você descobrirá que Deus ensinou ao povo de Israel várias formas de confessar seus pecados e consertar as coisas – por meio de sacrifícios, do oferecimento dos próprios pecados, de ofertas queimadas... Tratava-se de um trabalho difícil, caro e cruento. O penitente tinha de comprar seu próprio animal, trazê-lo ao altar e matá-lo. No entanto, saía de lá com certa paz de espírito, certo de haver feito sua confissão e cumprido a penitência que Deus exigia.

A necessidade humana de confissão não desapareceu com a vinda de Jesus. A partir daí, no entanto, ela passou a se resolver de uma forma mais limpa, mais simples e mais poderosa. Jesus respondeu a essa necessidade com perfeição ao estabelecer um ministério e sacramento da penitência na Igreja.

Há muitas formas de compreender a confissão, e todas são

válidas. Podemos encará-la como um tribunal que possui um juiz divino. Podemos pensar nela como se fosse um acerto de contas. Todavia, parece-me que o mais útil é vê-la como algo que cura – como um cuidado com a saúde. A confissão faz por nossas almas aquilo que os médicos, nutricionistas, fisioterapeutas e farmacêuticos fazem por nossos corpos.

Pense em tudo o que fazemos para manter nossos corpos em bom funcionamento. Realizamos *check-ups* regularmente com um clínico geral, um dentista, um oftalmologista... Além disso, ninguém precisa nos lembrar de escovar os dentes, tomar banho ou ingerir os comprimidos que vão dar jeito nos problemas que nos afetam. Tudo isso é bom tanto para nós quanto para todos os que estão ao nosso redor. Ninguém vai querer trabalhar ao nosso lado se resolvermos parar de tomar banho.

Ora, se nos esforçamos tanto para cuidar dos nossos corpos, será que não deveríamos dedicar algum tempo às nossas almas? Afinal, nossos corpos mais cedo ou mais tarde morrerão, ao passo que nossas almas viverão para sempre.

E mais: nossas decisões no âmbito da saúde e da higiene espiritual têm um efeito *tremendo* sobre aqueles que nos cercam. Não há nada melhor para a vida em família e para a dinâmica profissional do que uma alma limpa e o aconselhamento de um bom confessor. Por outro lado, nada danifica mais nossos relacionamentos e nossa saúde mental do que o fardo do pecado e da culpa. A confissão é como um plano de saúde e um seguro de vida – ambos gratuitos! Cristo é o médico divino; diferentemente dos médicos humanos, Ele sempre pode nos garantir a cura. Ele pode, na verdade, nos garantir a imortalidade. Um médico que pudesse fazer tudo isso certamente teria longas filas na porta do seu consultório. O elemento que faz da confissão algo menos intimidador é uma fé mais forte em Jesus Cristo e naquilo que Ele pode fazer por nós.

Quando você sente dores no corpo, precisa ir ao médico. É possível que você não *queira* ir ao médico. É possível que ir ao médico não seja exatamente uma coisa prazerosa para você. Talvez você até tenha um medo muito arraigado de consultórios. No entanto, não há outra forma de corrigir um membro quebrado, de livrar o corpo de uma infecção ou de fechar uma ferida que não para de sangrar. De nada adiantará ir ao contador ou ao mecânico.

O rito do Novo Testamento difere do rito do Antigo porque Deus passa a ser, Ele próprio, o sumo sacerdote. Os escribas e os fariseus estavam certos quando perguntaram a Jesus: *Quem pode perdoar pecados senão Deus?* (Mc 2, 7). Eles não acreditavam, no entanto, que Jesus fosse o Filho de Deus. Somente Jesus podia dizer com autoridade: *Filho, perdoados te são os pecados* (Mc 2, 5).

Jesus tinha autoridade para dividir esse poder com o clero que Ele escolhera, isto é, com seus apóstolos. E foi exatamente isso o que Ele fez no dia da ressurreição: *Soprou sobre eles dizendo-lhes: Recebei o Espírito Santo. Àqueles a quem perdoardes os pecados, ser-lhes-ão perdoados; àqueles a quem os retiverdes, ser-lhes-ão retidos* (Jo 20, 22-23).

Jesus, portanto, deu a seus apóstolos um poder maior do que o poder dos sacerdotes de Israel. Os rabinos, ao se referirem a essa velha faculdade sacerdotal, falavam em «ligar e desligar», e Jesus empregou essas mesmas palavras para descrever o que estava dando aos seus discípulos. Para os rabinos, dizer que alguém estava ligado ou desligado era declarar que a pessoa em questão estava ou em comunhão com o povo escolhido, ou separada de sua vida e de seu culto.

Ao levar esse velho ofício à sua realização plena, Jesus acrescentou a ele uma nova dimensão. As autoridades não mais aprovariam sentenças meramente terrenas. Uma vez que a Igreja partilhava do poder do Deus encarnado, seu poder ia tão longe quanto o poder divino. *Em verdade vos digo: tudo o que ligardes sobre a terra será ligado no céu, e tudo o que desligardes sobre a terra será também desligado no céu* (Mt 18, 18). A Igreja poderia perdoar pecados em nome de Deus. A Igreja poderia aliviar ou anular a punição dos pecados.

Tudo isso, no entanto, pressupõe uma confissão. Antes que pudessem exercer seu poder sobre as almas, os apóstolos precisariam ouvir os pecados confessados em voz alta. Do contrário, não saberiam o que ligar ou desligar.

Os apóstolos exerceram essa autoridade e pregaram a confissão aos primeiros cristãos. *Se reconhecemos os nossos pecados,* disse São João, [Deus aí está] *fiel e justo para nos perdoar os pecados e para nos purificar de toda iniquidade* (1 Jo 1, 9). São Paulo vai mais longe e esclarece que a confissão é algo que se faz *com tua boca*, e não apenas com o coração e a mente (Rm 10, 9). Paulo dizia que sua missão era um *ministério da reconciliação* (2 Cor 5, 18) – novamente, uma função exercida, na Antiga Aliança, pelos sacerdotes de Jerusalém, que perdoavam os pecados por meio de sacrifícios expiatórios no Templo.

São Tiago, por sua vez, abordou o tema da confissão ao fim de seu exame dos deveres sacerdotais do clero. O termo grego que empregou para se referir aos membros do clero foi *presbuteros*, que significa «anciãos» e está na raiz da palavra «presbítero». Eis o que disse Tiago:

> *Está alguém enfermo? Chame os anciãos da Igreja, e estes façam oração sobre ele, ungindo-o com óleo em nome do Senhor. A oração da fé salvará o enfermo e o Senhor o restabelecerá. Se ele cometeu pecados, ser-lhe-ão perdoados. Confessai, portanto, os vossos pecados uns aos outros, e orai uns pelos outros para serdes curados. A oração do justo tem grande eficácia* (Tg 5, 14-16).

Tiago estabelece um vínculo entre a prática da confissão e o ministério de cura do sacerdote. Como os sacerdotes são capazes de curar, nós os acionamos para que possam ungir nossos corpos quando estamos fisicamente doentes; *portanto*, quando nossas almas adoecem com o pecado, recorremos a eles ainda mais avidamente para receber o sacramento curativo do perdão.

Note que São Tiago não exorta sua congregação a confessar seus pecados apenas a Jesus; tampouco diz a ela que confesse seus pecados silenciosamente, em seu coração. As pessoas podem fazer todas essas coisas, e todas têm seu valor, mas ainda não estarão sendo fiéis à palavra de Deus pregada por São Tiago – pelo menos não até que tenham confessado seus pecados em voz alta a «outros», de modo particular a um *presbítero*, isto é, um padre.

Tudo isso era claro para as primeiras igrejas. Trata-se do ensinamento que encontramos na *Didaquê*, o documento cristão mais antigo que possuímos depois das Escrituras. Ali, lemos o seguinte: «Confessarás tuas transgressões na Igreja e não entrarás em oração com a tua consciência poluta»[1]. Um dos capítulos subsequentes fala sobre a importância da confissão antes da comunhão: «No Dia do Senhor, reuni-vos, parti o pão e rendei graças [em grego, *eucharistesate*], confessando, em primeiro lugar, os vossos pecados, para que o vosso sacrifício seja puro»[2].

A confissão deve ser sempre individual, auricular – isto é, falada – e específica. A Igreja aprova os serviços de penitência comunitária, mas estabelece claramente que eles devem levar os fiéis a confissões individuais. Mesmo que receba a absolvição geral no campo de batalha, você deverá procurar um padre tão logo cessem os tiros.

Há pouco tempo, os católicos devotos tinham o costume de se confessar toda semana. As filas de confissão aos sábados eram bem longas. Os santos recomendavam que nos confessássemos pelo menos uma vez por mês.

Por que essa prática perdeu força nos últimos anos, a ponto de algumas paróquias só oferecerem o sacramento «com hora marcada»? Os últimos papas atribuem essa queda à perda do

---

(1) *Didaquê*, 4, 14.
(2) *Idem*, 14, 1.

sentido do pecado, e eu acho que isso é verdade. Vivemos numa cultura avessa à culpa. Nos Estados Unidos, o modelo de seguro automotivo que indeniza o segurado independentemente de quem teve culpa no acidente já chegou ao mundo do divórcio. Já nos convencemos de que o importante é estar «tudo bem para ambas as partes», quaisquer que tenham sido as escolhas que fizemos ao longo da vida.

O fato, porém, é que não está tudo bem, uma vez que todos pecamos e todos sofremos tanto pelos nossos próprios pecados quanto pelos pecados dos outros. Por isso, estamos fora de sintonia com o Deus que nos criou e com o mundo que Ele criou para nós. Sim, Deus nos ama do jeito que somos, mas também nos ama demais para aceitar que continuemos sendo assim. Precisamos experimentar o seu perdão para que possamos nos curar, crescer e praticar o perdão também.

Nós precisamos recuperar um sentido saudável do pecado para que possamos recuperar a saúde espiritual.

Medite no coração

É melhor confessar o pecado do que enrijecer o coração[3].

– Papa São Clemente I, século I

---

(3) São Clemente de Roma, *Aos coríntios*, 51.

29. Indulgências

Imagine que você emprestou mil dólares a um amigo e, algum tempo depois, ele veio até você e disse: «Você não sabe o que aconteceu... Estava no shopping e perdi todo o dinheiro. Só vou conseguir te pagar daqui a seis meses». Seria uma situação tensa, sem dúvida, e talvez a relação de vocês azedasse.

Agora, imagine que outro amigo aparecesse e dissesse: «Rezei pelo seu devedor. Por isso eu lhe peço, por favor, que perdoe a dívida dele». Se mil dólares têm no seu orçamento o mesmo peso que têm no meu, é possível que você risse da cara dele. A proposta ofenderia seu senso de justiça – e com razão.

Algumas pessoas tentam retratar as indulgências dessa maneira, isto é, como o perdão de uma dívida no reino espiritual. Acontece que a indulgência *não* é o perdão de uma dívida, mas antes o *pagamento* dela. É como se aparecesse alguém e lhe pagasse os mil dólares em nome do seu amigo.

É isso o que Cristo permite que Maria e os santos façam por nós, e é isso o que Ele permite que façamos uns pelos outros, mesmo por aqueles que morreram e estão agora no purgatório.

Quando ganhamos uma indulgência, a Igreja aciona o tesouro de méritos de Cristo e dos santos – um tesouro infinito – e aplica esses méritos a nós, contanto que estejamos em estado de graça (isto é, que não pecamos gravemente) e cumpramos outros pré-requisitos (confissão, comunhão e orações pelo

Papa). Uma indulgência pode ser plenária (redimindo todos os nossos pecados) ou parcial.

Essa é uma ideia tão antiga quanto a religião bíblica e sempre foi parte dessa religião. Os rabinos de outrora dão testemunho dela, bem como os Padres da Igreja. Vejamo-la tal como se encontra no Antigo Testamento.

Abraão era um homem justo que vivia pela fé, e essa fé se manifestava em muitas ações. Deus o testou repetidas vezes, e Abraão sempre respondeu com obediência fiel. Em Gênesis 22, ele enfrentou o maior de todos os testes: Deus ordenou que sacrificasse Isaac, seu filho amado. Abraão demonstrou que estava disposto a fazê-lo e foi com Isaac ao Monte Moriá. Deus, no entanto, poupou Isaac e recompensou Abraão com a promessa de abençoar seus descendentes.

Esses descendentes, contudo, abriram mão da bênção divina da maneira mais repugnante possível: construindo um bezerro de ouro e adorando-o como um ídolo. Tratava-se de um pecado de proporções catastróficas, um ato disparatado de ingratidão para com o Deus que havia, não muito tempo antes e de maneira milagrosa, libertado Israel da escravidão no Egito. Por cometerem um pecado assim, os israelitas mereciam a morte.

E como Moisés os libertou do castigo merecido? Invocando os méritos dos seus ancestrais. Disse ele ao Senhor:

> *Lembrai-vos de Abraão, de Isaac e de Israel, vossos servos, aos quais jurastes por vós mesmo de tornar sua posteridade tão numerosa como as estrelas do céu e de dar aos seus descendentes essa terra de que falastes, como uma herança eterna* (Ex 32, 13).

Moisés não tentou pleitear a causa da geração atual, exceto na medida em que ela descendia dos grandes patriarcas. Nessa história, podemos ver a remissão temporal do castigo. Deus estava para destruir os israelitas, mas não o fez. Moisés, como se vê, intercede com base no tesouro de méritos dos pais.

Quando os rabinos de outrora examinavam essa história, não encontravam nenhuma outra forma de explicá-la. O tesouro de méritos permitia que resguardassem tanto a misericórdia quanto a justiça de Deus. Eles aplicaram os mesmos princípios às histórias de Noé, cuja virtude serviu para redimir as gerações futuras da devastação do dilúvio, e de Davi, que, apenas com sua bondade, salvou seu filho Salomão do desastre que ele havia feito por merecer.

Os Padres da Igreja entenderam essas histórias do Antigo Testamento como meras sombras daquilo que Deus Pai passou a fazer por meio de Cristo. Na Antiga Aliança, o mérito passava de Abraão a Isaac, de Isaac a Israel e, por meio de Israel, a todos os seus descendentes. Agora, ele procede do Pai por meio do Filho no Espírito e se estende a Maria, aos santos, aos mártires e também a todos nós.

Vivemos em comunhão uns com os outros. Isso vale para a ordem natural e vale, também, para a ordem sobrenatural. Os santos carregam nossos fardos, e nós também devemos carregar os fardos alheios (cf. Gl 6, 2). São Paulo, que entendia como isso funcionava, declarou: *O que falta às tribulações de Cristo, completo na minha carne, por seu corpo que é a Igreja* (Cl 1, 24).

Na Cruz, Jesus disse: *Tudo está consumado* (Jo 19, 30). A obra perfeita da nossa redenção de fato se concluía. No entanto, ela em certo sentido também estava apenas começando, pois naquele momento Cristo entregou seu Espírito: Ele nos deu o poder de, por meio do Espírito Santo, participar da sua vida, da sua morte e da sua ressurreição. Ele transferiu para nós tudo aquilo que era mérito dEle. Assim, ao fim de sua peregrinação terrestre, pôde dizer que *tudo está consumado* e confiar seu trabalho de redenção ao Espírito Santo. O Espírito aplica aos santos – e a todos nós – aquilo que Cristo mereceu por meio de sua vida, morte e ressurreição.

Trata-se de uma economia bem ordenada — de uma «economia planificada», pois Deus conferiu aos apóstolos e a seus sucessores (o Papa e os bispos) o poder de ligar e desligar (cf.

Mt 16, 19; 18, 18). Por isso, vemos hoje a Igreja exercendo a autoridade que Moisés certa vez exerceu no Monte Sinai: o direito e o dever de recorrer aos méritos dos santos.

A Igreja distribuiu esses méritos vinculando-os a certos sacrifícios, orações e obras que fortalecem o corpo de Cristo. Esses sacrifícios, orações e obras vão desde abrir mão do cigarro por um dia até fazer uma peregrinação à Terra Santa.

Quando fala em indulgência, a Igreja o faz no contexto do «gozo dos bens da família de Deus» (veja a seguir). Então vá em frente: desfrute. Desfrute não apenas por si mesmo, mas também pelos outros – pelos que estão vivos e pelos que estão mortos. Somos livres para fazê-lo porque Deus é, a um só tempo, justo, misericordioso e verdadeiramente indulgente. Ele é nosso Pai e preparou tudo para que até mesmo a vida sobrenatural seja uma questão de família.

Medite no coração

Por insondável e gratuito mistério da divina disposição, acham-se os homens unidos entre si por uma relação sobrenatural. Esta faz com que o pecado de um prejudique também os outros, assim com a santidade de um traga benefícios aos outros. Assim se prestam os fiéis socorros mútuos para atingirem seu fim eterno. O testemunho dessa união é evidente no próprio Adão, pois seu pecado passa a todos os homens por propagação hereditária. Mas o mais alto e mais perfeito princípio, o fundamento e o modelo dessa relação sobrenatural, é o próprio Cristo, no qual Deus nos chamou a ser inseridos.

[...] Seguindo as pegadas de Cristo, os fiéis sempre procuraram ajudar-se uns aos outros no caminho que conduz ao Pai celeste pela oração, pela apresentação de bens espirituais e pela expiação penitencial; e quanto mais seguiam o fervor da caridade, tanto mais também imitavam a Cristo sofredor, levando sua cruz em expiação de seus pecados e dos outros, convencidos de poderem ajudar a seus irmãos junto a Deus, o Pai das misericórdias, para que obtenham a salvação. É o antiquíssimo dogma da comunhão dos santos, segundo o qual a vida de cada um dos filhos de Deus em Cristo e por Cristo se acha unida por admirável laço à vida de todos os outros irmãos cristãos na sobrenatural unidade do Corpo Místico de Cristo, como numa única pessoa mística. Assim se constitui o «tesouro da Igreja» [...], o valor infinito e inesgotável que têm junto a Deus as expiações e os méritos de Cristo Senhor, oferecidos para que a humanidade toda seja libertada do pecado e chegue à comunhão com o Pai; não é outra coisa que o Cristo Redentor, em quem estão e persistem as satisfações e os méritos de sua redenção. Pertencem além disso a esse tesouro o valor verdadeiramente imenso, incomensurável e sempre novo que têm junto a Deus as preces e as boas obras da Bem-aventurada Virgem Maria e de todos os santos, que, seguindo as pegadas de Cristo Senhor, por sua graça se santificaram e totalmente acabaram a obra que o Pai lhes confiara; de sorte que, operando a própria salvação, também contribuíssem para a salvação de seus irmãos na unidade do Corpo Místico.

Com efeito, todos os que são de Cristo, por terem recebido seu Espírito, se acham unidos numa só Igreja e nele aderem uns aos outros (cf. Ef 4,16). [...]

Por isso, entre os fiéis já admitidos na pátria celeste, os que expiam as faltas no purgatório e os que ainda peregrinam sobre a terra, existe certamente um laço de caridade e um amplo intercâmbio de todos os bens pelos quais, na expiação de todos os pecados do Corpo Místico em sua totalidade, é aplacada a justiça de Deus; e também se inclina a misericórdia divina ao perdão, a fim de que os pecadores arrependidos sejam mais depressa conduzidos a plenamente gozar dos bens da família de Deus[1].

– Papa Paulo VI, século XX

---

(1) Papa Paulo VI, Constituição apostólica *Indulgentiarium doctrina*, cap. II.

30. Intercessão dos santos

O apóstolo Paulo se referia a si próprio como o primeiro dos pecadores (cf. 1 Tm 1, 15). No entanto, ele também sabia que era um santo.

Para São Paulo, assim como para toda a Igreja Católica, todos os cristãos são «santos» em virtude do batismo. Os cristãos se tornam santos não por causa de alguma coisa que aprenderam ou fizeram, mas por se tornarem morada do Deus Todo-Poderoso. Somos santos porque somos templos do Espírito Santo – e, do ponto de vista de Paulo, nada no mundo é mais sagrado do que o Templo de Deus.

Por isso, a Carta de São Paulo aos Colossenses começa da seguinte maneira:

> *Aos irmãos em Cristo,* santos *e fiéis de Colossos: a vós, graça e paz da parte de Deus, nosso Pai! Nas contínuas orações que por vós fazemos, damos graças a Deus, Pai de Nosso Senhor Jesus Cristo, porque temos ouvido falar da vossa fé em Jesus Cristo e da vossa caridade com os* santos *[...]. Para que, confortados em tudo pelo seu glorioso poder, tenhais a paciência de tudo suportar com longanimidade. Sede contentes e agradecidos ao Pai, que vos fez dignos de participar da herança dos* santos *na luz* (Cl 1, 2-12; grifo meu).

A santidade é simplesmente a vocação cristã comum. Todavia, nessa curta passagem da Carta aos Colossenses, Paulo também faz uma distinção entre os santos na terra (cf. Cl 1, 2) e os *santos na luz* (Cl 1, 12), os quais a devoção católica mais tarde chamaria, respectivamente, de «Igreja militante» e «Igreja triunfante». A Carta aos Hebreus nos diz que os segundos formam uma *nuvem de testemunhas* (Heb 12, 1) em torno dos primeiros.

Aos santos na terra que compartilham da nossa vocação, oferecemos nosso amor. Aos santos na luz, oferecemos uma honra especial, chamada veneração. Não se trata do mesmo tipo de honra que oferecemos exclusivamente a Deus. Antes, ela tem mais a ver com o profundo respeito que nutrimos por nossos pais e avós. Nós os amamos tanto que emolduramos suas fotos e as colocamos em locais de destaque em nossas casas. Não hesitamos em pedir aos nossos pais que rezem por nós; do mesmo modo, não devemos hesitar em pedir o mesmo a nossos ancestrais na fé.

São Paulo mesmo rogou aos «santos» de Colossos que intercedessem por ele (cf. Cl 4, 3). Afinal, assim como participamos da vida e da natureza divina de Jesus Cristo, também participamos de seu ofício singular de *mediador entre Deus e os homens* (1 Tm 2, 5). Desse modo, São Paulo podia recomendar *que se façam preces, orações, súplicas, ações de graças por todos os homens* (1 Tm 2, 1); além disso, podia assegurar aos santos em Colossos que intercederia em favor deles: *não cessamos de orar por vós* (Cl 1, 9).

Com o conhecimento que adquirimos a partir da leitura de outras partes do Novo Testamento, podemos ter certeza de que a intercessão de São Paulo não cessou – nem mesmo nos dias de hoje. O livro do Apocalipse (cf. Ap 6, 9-10) traz os mártires no céu com plena consciência dos acontecimentos que se passam na terra e implorando a Deus por reparação. O próprio Jesus, numa de suas parábolas, refere-se a uma intercessão celestial (Lc 16, 27-28).

Entre os primeiros cristãos já se observava uma viva devoção à Comunhão dos Santos. Não se tratava apenas de honrar os ancestrais, uma vez que eles não pensavam nos santos como mortos (e, portanto, removidos da sua presença). Os santos se faziam mais presentes para a Igreja na terra, uma vez que viviam na presença de Deus. Eles não estavam mortos, mas mais vivos do que a Igreja terrestre.

A devoção dos primeiros cristãos encontra-se claramente expressa em centenas de descobertas arqueológicas, bem como em grandes obras de arte e em inscrições feitas por indivíduos semiletrados em alguns monumentos e itens domésticos. O clamor da Igreja na terra sobe constantemente até os santos no céu: «rogai por nós» e «abençoai-nos».

Os santos na glória eram parte da grande família da Igreja; as datas de suas respectivas mortes eram celebradas como um «aniversário» pelos cristãos que continuavam vivos, e muitas delas são observadas até hoje no calendário da Igreja universal.

O estudioso Peter Brown repete enfaticamente que essa não era uma devoção supersticiosa da «ralé». Não se tratava de um resquício do paganismo. Os pagãos, na verdade, tinham horror à devoção cristã dos santos e a condenavam como algo indecente!

Não: no cristianismo antigo, eram os grandes estudiosos das Escrituras os que manifestavam a devoção mais vívida pelos santos. Podemos encontrá-la descrita de maneira mais eloquente nos escritos dos biblicistas que hoje conhecemos como São Jerônimo, Santo Agostinho e São João Crisóstomo.

A devoção de Jerônimo era tão grande que ele costumava passar as tardes de domingo andando em meio aos restos mortais dos mártires nos corredores escuros das catacumbas romanas.

São João Crisóstomo, por sua vez, lá no século IV, manifestou seu maravilhamento diante das inversões de papel ocasionadas pelo culto dos santos:

Até mesmo o imperador [...], que ostenta vestes púrpuras e é capaz de causar tremores com um simples menear de cabeça, frequentemente se prostra, com o rosto virado para baixo, sobre a tumba de um mártir, rogando para que o santo reze por ele[1].

E o santo em questão poderia ter sido, na terra, um camponês sem importância nenhuma! Ora, quem, no final das contas, tem mais capacidade de causar tremor? São João Crisóstomo também menciona as esposas humildes que imploravam a proteção dos santos para os maridos que saíam em viagens perigosas.

Santo Agostinho pregou frequentemente sobre a vida dos santos e escreveu longas defesas dessa devoção católica. Na maioria das vezes, ele o fez como resposta aos ataques dos maniqueus, hereges tão ardilosos que chegavam a ser mais pagãos do que cristãos. E, no entanto, os argumentos deles são incrivelmente parecidos com aquilo que ouvimos dos anticatólicos nos dias de hoje. Agostinho pregava:

> As orações aos mártires nos ajudam. Com efeito, é por meio dessas solenidades que a *vossa* [grifo meu] santidade é celebrada [...], pois não devemos pensar que damos algo aos mártires quando das celebrações de suas solenidades. Não precisam eles de nossas festas, uma vez que se regozijam no céu com os anjos. Os mártires regozijam-se menos conosco se lhes damos honra do que se os imitamos[2].

Mais uma vez, ouço aí os ecos de São Paulo: *Tornai-vos os meus imitadores, como eu o sou de Cristo* (1 Cor 11, 1). Venerar São Paulo é glorificar a Cristo por sua graça, que se manifestou

---

(1) São João Crisóstomo, «On All the Martyrs», citado em *The Cult of the Saints*, St. Vladimir Seminary Press, Crestwood, 2006, pág. 247.

(2) Santo Agostinho, *Sermões*, 325, 1.

na vida da sua família terrena. São Paulo disse: *Eu vivo, mas já não sou eu; é Cristo que vive em mim* (Gl 2, 20). Cristo de fato vive em todos os santos, fazendo-os ser eles mesmos com perfeição ainda maior.

Os fiéis cristãos compartilham com os santos um sentimento de profundo companheirismo, um sentimento familiar. São Paulino de Nola, bispo que viveu no século IV, colocou-se sob o patronato de São Félix, um mártir. Num poema seu, ele se dirige ao santo como «pai reverendo, patrono sempiterno; Félix, meu enfermeiro; Félix, querido amigo de Cristo»[3].

Ao longo de toda a história do cristianismo, muito pouco mudou. Ouvimos, hoje em dia, os mesmos termos endereçados a santos amados por gerações: São Judas Tadeu, São Francisco de Assis, Santo Antônio de Pádua, Santa Catarina Labouré, Santa Teresinha do Menino Jesus, São Maximiliano Maria Kolbe, padre Pio de Pietrelcina...

A essas figuras, não hesitamos em clamar: «Rogai por nós!».

Medite no coração

O povo cristão, por sua vez, celebra unido, em solenidade religiosa, as memórias dos mártires, a fim de estimular sua imitação, associar-se a seus méritos e ganhar o auxílio de suas preces, de tal modo, porém, que não erigimos altares a mártir nenhum, mas ao Deus dos mártires, embora sejam dedicados às memórias dos mártires. Com efeito, que sacerdote, ao presidir a cerimônia diante do altar, ali onde repousam os corpos dos santos, diz: «Oferecemos a ti, ó Pedro!», ou «ó Paulo!», ou «ó Cipriano». O que se oferece é oferecido ao Deus que coroou os mártires, *em memória* [grifo meu] daqueles que foram coroados, a fim de que aquele lugar mesmo sirva como exortação e

---

(3) São Paulino de Nola, *Carmina*, 21.

provoque maior afeto, estimule o amor a quem podemos imitar e àquele com cuja ajuda o faremos.

Veneramos, pois, os mártires com o culto do amor e da companhia que nesta vida também tributamos aos santos homens de Deus, cujo coração percebemos estar disposto a sofrer o martírio pela verdade do Evangelho. A aqueles, porém, dedicamos maior devoção porque sabemos que venceram já nos combates, e podemos enaltecer com mais confiança aqueles que já são vitoriosos no céu do que aqueles que ainda estão aqui, no combate.

Com aquele culto que, em grego, chama-se *latria*, mas em latim não pode ser expresso com uma só palavra, uma vez que significa certa servidão que se deve apenas à divindade, rendemos culto ao único Deus e ensinamos que só a Ele devemos fazê-lo. Ora, como este culto abarca a oferta do sacrifício, razão pela qual se chama idolatria o culto de quem o oferece aos ídolos, de modo algum oferecemos ou mandamos oferecer algo parecido a qualquer mártir, a uma alma santa ou a um anjo. Todo aquele que cai neste erro é corrigido com a sã doutrina, de modo que ele se emende ou que os outros se resguardem dele. Nem mesmo esses santos, homens ou anjos desejam que se lhes seja tributado o que sabem caber ao único Deus.

Fica isto manifesto no modo como reagiram Paulo e Barnabé quando os homens da Licônia quiseram oferecer-lhes sacrifícios, tomando-os por deuses. Os dois, rasgando as próprias vestes, confessaram e convenceram-os de que não eram deuses, e assim os proibiram de fazê-lo. Vê-se o mesmo entre os anjos. Lemos no Apocalipse que um anjo não se deixou adorar e disse a seu adorador: *Eu sou um servo, como tu e teus irmãos* (Ap 19, 10)[4].

– Santo Agostinho de Hipona, século IV

---

(4) Santo Agostinho, *Contra Fausto*, 20, 21; cf. também *Cidade de Deus*, 8, 27.

31. Peregrinações

As peregrinações foram uma parte fundamental da vida religiosa de Jesus. O coração do judaísmo antigo estava no culto sacrificial no Templo de Jerusalém. Não havia outro templo, uma vez que não podia haver outros deuses. Como Deus é um só, tinha somente uma cidade santa, e por isso convocou seu povo a ir até lá em peregrinação: *Três vezes por ano, todos os vossos varões se apresentarão diante do Senhor teu Deus, no lugar que Ele tiver escolhido: na festa dos ázimos, na festa das semanas e na festa dos tabernáculos: não aparecerão diante do Senhor com as mãos vazias* (Dt 16, 16; cf. também Ex 23, 17). Maria e José cumpriam esse mandamento todos os anos. O único vislumbre que temos da infância de Jesus vem da narrativa da peregrinação da Sagrada Família até Jerusalém, quando Ele tinha doze anos. Jesus permaneceu fiel a essa obrigação depois de adulto, e os evangelistas regularmente o mostram «subindo a Jerusalém» para as festas (cf. Jo 2, 13; 5, 1). Até São Paulo realizou as viagens obrigatórias – e isso mesmo após sua conversão: *Paulo havia determinado não ir a Éfeso, [...] pois se apressava para celebrar, se possível em Jerusalém, o dia de Pentecostes* (At 20, 16).

Os apóstolos, no entanto, previram o dia em que essa peregrinação se tornaria obsoleta. São Paulo já o indicava ao contrastar a cidade terrena com a do céu: *Mas a Jerusalém lá do alto é livre, e esta é a nossa mãe* (Gl 4, 26). No Apocalipse, São João fala três vezes sobre *a nova Jerusalém, que desce dos céus enviada por meu Deus* (Ap 3, 12; 21, 2; 21, 10).

A localidade da «nova Jerusalém» não seria geográfica, mas eucarística. Preparados para o culto, os cristãos se aproximam da nova

> *montanha de Sião, da cidade do Deus vivo, da Jerusalém celestial, das miríades de anjos, da assembleia festiva dos primeiros inscritos no livro dos céus, e das almas dos justos que chegaram à perfeição, enfim, de Jesus, o mediador da Nova Aliança, e do sangue da aspersão, que fala com mais eloquência que o sangue de Abel* (Heb 12, 22-24).

A Jerusalém celestial agora tocava a terra e estava tão próxima quanto a Missa de domingo.

De todo modo, a destruição do Templo de Jerusalém em 70 d. C. pôs fim a todas as dúvidas quanto à obrigatoriedade das peregrinações. Ao contrário das Escrituras hebraicas e do Corão, a Igreja nunca exigiu que os cristãos fizessem viagens desse tipo. Os fiéis, contudo, adotaram a prática com disposição e de maneira voluntária.

Os primeiros cristãos costumavam ir aos lugares que marcaram a vida de Jesus. São Melitão de Sardes visitou o local da Paixão por volta do ano 170, e essa visita teve profunda influência sobre sua pregação. Eusébio, historiador que viveu na Antiguidade, nos fala sobre um bispo da Capadócia que foi a Jerusalém por volta do ano 210 a fim de estudar e prestar reverência aos lugares sagrados. Em meados do século IV, Santa Helena, mãe do imperador Constantino, realizou uma famosa peregrinação à Terra Santa, durante a qual dirigiu algumas escavações arqueológicas.

Jerusalém preservou seu poder de atração, é claro, por conter monumentos da Paixão do Senhor. Por outro lado, a cidade deixou de ser o único destino dos peregrinos. Viajantes devotos passaram a ir também a Roma, a fim de reverenciar os túmulos de São Pedro e São Paulo e visitar os locais de seus martírios. Os peregrinos também faziam viagens para ver santos ainda vivos – e quiçá até pedir conselhos a algum deles. A reputação de Santo Antão do Egito, por exemplo, se espalhou de tal modo que atraía multidões até o deserto onde ele morava. Muitos dos visitantes ficavam por ali mesmo, vivendo perto dele como ermitões ou monges. Diz-se que ele fez uma cidade inteira surgir no meio do nada.

Outros destinos também atraíam peregrinos: locais que em que houve aparições de Jesus ou Maria; lugares de destaque na história dos santos; riachos, poços e tanques aos quais se atribuíam faculdades milagrosas; repositórios de relíquias; igrejas de beleza excepcional; imagens sacras notáveis...

Alguns talvez esperassem que a prática da peregrinação enfraquecesse com o avanço do cristianismo, uma vez que não se tratava mais de uma obrigação, como fora antes para os judeus. Todavia, a prática ganhou ainda mais força. Temos à disposição vários diários e narrativas de peregrinos posteriores ao século IV. Os séculos subsequentes só fizeram aumentar nos cristãos o desejo de cair na estrada.

Mais interessante ainda é observar como a peregrinação rapidamente se tornou a metáfora mais comum para referir-se à vida na terra. Os primeiros cristãos muitas vezes falavam de si mesmos como exilados e viajantes a caminho de casa. Santo Agostinho diz que os fiéis estão «em peregrinação nesta condição de mortalidade»[1]. O Magistério adotou com frequência essa imagem ao falar da Igreja como «povo peregrino de Deus»; a liturgia, por sua vez, implora a Deus que confirme «na fé e na caridade a vossa Igreja, enquanto caminha neste mundo».

Um mapa católico do mundo moderno traz muitos destinos possíveis para peregrinação. Jerusalém e Roma continuam

---

(1) Santo Agostinho, *Cidade de Deus*, 19, 17.

sendo os favoritos, mas os santuários marianos de Lourdes e Fátima também são imensamente populares. Da Idade Média em diante, os peregrinos também passaram a se reunir em Santiago de Compostela, o santuário de São Tiago na Espanha. O Papa João Paulo II evocou o caminho peregrino de Santiago como metáfora da vida da Igreja peregrina, como «um exemplo da peregrinação da Igreja em sua jornada rumo à cidade celestial». Trata-se, segundo ele, de

> uma via de oração e penitência, de caridade e solidariedade; um trecho do caminho da vida em que a fé, tornando-se história entre os homens, também converte a cultura em algo cristão. As igrejas e abadias, os hospitais e abrigos do Caminho de Santiago até hoje nos falam sobre a aventura cristã da peregrinação, por meio da qual a fé torna-se vida, história, cultura, caridade e obras de misericórdia[2].

O Papa observou que nenhum peregrino – real ou metafórico – caminha sozinho. Somos todos acompanhados pelo «misterioso Peregrino de Emaús» (cf. Lc 24, 15-35), que nos revela a Palavra e Se faz reconhecer na partilha do pão. Todas essas grandes maravilhas acontecem sempre que a Jerusalém celestial toca a terra na Santa Missa.

Não precisamos ir até os confins da terra para fazer uma peregrinação. Há santuários marianos mais humildes bem perto da maioria de nós, a uma viagem de carro de distância. Alguns cristãos gostam de rezar enquanto fazem pequenas peregrinações a santuários próximos, à catedral diocesana ou até mesmo à paróquia local: cinco dezenas do Rosário na ida, cinco no lugar santo e mais cinco no caminho de volta para o carro. Assim como os antigos, também podemos fazer peregrinações para visitar as pessoas santas que porventura conhecemos, ou

---

(2) São João Paulo II, Discurso por ocasião da Missa do Peregrino, Catedral de Santiago de Compostela, 19.8.1989.

ainda viajar para manifestar nosso respeito ao túmulo de nossos ancestrais e mentores.

Para nós, a peregrinação é um sacramental, isto é, sinal exterior de uma graça interior. As peregrinações recordam que seremos viajantes enquanto estivermos na terra e que devemos permanecer firmes no caminho para chegar a nosso glorioso destino.

Medite no coração

Paula entrou em Jerusalém [...] e, embora o procônsul da Palestina, que era amigo íntimo de sua família, [...] tenha dado ordens para que a residência oficial estivesse à sua disposição, ela preferiu hospedar-se numa cela humilde. Ademais, tão grande eram sua paixão e seu entusiasmo ao visitar cada um dos locais sagrados que ela não conseguiria deixar cada um deles se não ansiasse também por visitar todos os outros. Diante da Cruz, prostrou-se em adoração, como se contemplasse o Senhor pregado nela; e, ao entrar no sepulcro que foi cenário da ressurreição, beijou a pedra que o anjo empurrara para desobstruir a entrada. Tão fervorosa era sua fé que chegou mesmo a lamber o local exato em que o corpo do Senhor fora posto, assemelhando-se a alguém que, morrendo de sede, encontra um rio pelo qual muito esperava. As lágrimas que ali derramou, os lamentos que elevou e a tristeza que manifestou: tudo isso é conhecido em toda a cidade de Jerusalém, bem como pelo Senhor, a quem seus clamores se destinavam[3].

– São Jerônimo, século IV

---

(3) São Jerônimo, *Cartas*, 108, 9.

32. Presença de Deus

Nós, cristãos modernos, temos poucas oportunidades de usar a palavra *templo*. Como designação dos locais cristãos de culto, o termo nunca pegou.

Para os judeus da Antiguidade, no entanto, a palavra *templo* fazia referência a uma realidade dominante: tratava-se do santuário central do judaísmo em Jerusalém, do local de culto que o rei Salomão construíra, que foi depois destruído e reconstruído e, no tempo de São Paulo, acabou por ser ricamente reformado pelos reis herodianos. Para os judeus, só havia um Templo, e ele consistia no único lugar onde se permitia a oferta de sacrifícios. Tratava-se do local divinamente instituído da *presença de Deus*. De todos os lugares da Terra, somente aquele podia ser verdadeiramente denominado santo. Ali morava o Espírito de Deus.

É importante entender o seguinte: os judeus não acreditavam que Deus estava presente *apenas* no Templo e, portanto, *ausente* do resto da Criação. Assim como nós, eles professavam, sim, que Deus está em toda parte; no entanto, também defendiam que Deus se havia feito especialmente presente a seu povo no Templo de Jerusalém e seus ritos. O Templo era um lugar onde se podia refugiar da poluição do mundo e conhecer a presença de Deus de forma pura.

Todavia, quando o Verbo se fez carne, o Templo encontrou sua realização plena em Jesus Cristo, que identificou o *seu corpo* com o templo de Deus (cf. Jo 2, 19-21). De alguma maneira, a forma e a função do edifício erguido em Jerusalém foram assumidas e aperfeiçoadas pela carne de Cristo. Além disso, Jesus identificou o templo do seu corpo com o seu povo, a Igreja (cf. At 9, 4).

Essa revelação causou uma impressão profunda em São Paulo e tornou-se tema dominante em suas pregações. A Igreja era agora o lugar especial da presença de Deus e o *locus* do seu sacrifício. *Não sabeis que sois o templo de Deus, e que o Espírito de Deus habita em vós? Porque o templo de Deus é sagrado – e isto sois vós* (1 Cor 3, 16-17). E de novo: *Porque somos o templo de Deus vivo, como o próprio Deus disse: Eu habitarei e andarei entre eles, e serei o seu Deus e eles serão o meu povo* (2 Cor 6, 16).

A presença e os rituais purificadores de Deus não estavam mais confinados numa única localidade geográfica. Não eram mais privilégio de um único grupo étnico. Agora, o templo não tem muros. Ele é universal – ou seja, é *católico*.

Essa linha de pensamento prossegue na Carta aos Efésios, onde encontramos todas as marcas distintivas da Igreja – una, santa, católica e apostólica – traduzidas nos termos da construção de um templo:

> *Consequentemente, já não sois hóspedes nem peregrinos, mas sois concidadãos dos santos e membros da família de Deus, edificados sobre o fundamento dos apóstolos e profetas, tendo por pedra angular o próprio Cristo Jesus. É nEle que todo edifício, harmonicamente disposto, se levanta até formar um templo santo no Senhor. É nEle que também vós outros entrais conjuntamente, pelo Espírito, na estrutura do edifício* que se torna a habitação de Deus (Ef 2, 19-22; grifo meu).

Vivendo por inteiro na Igreja, *nós* somos templos da presença de Deus. E, no entanto, a Tradição católica nos ensina a «praticar» a presença de Deus e fazer «atos de presença de Deus» – orações simples de invocação. Se Deus está sempre presente conosco, por que precisamos, então, fazer isso?

É por nós mesmos que o fazemos, e não por Deus! Não se trata de achar que Deus é um gênio que só pode ser invocado com uma lâmpada mágica. Não: Ele está presente. Todavia, nós precisamos ser lembrados disso, e esse lembrete tem de fazer alguma diferença para nós.

Pensemos na seguinte analogia: quando minha querida mãe vem me visitar, faço um esforço consciente para não deixar escapar nenhum tique verbal e nenhum outro hábito com o qual sei que a incomodaria. Por outro lado, também me esforço ao máximo para fazer e falar certas coisas que irão agradá-la. Faço tudo isso por amor e respeito a ela – e talvez, também, porque nunca perdemos totalmente aquele desejo infantil de agradar aos nossos pais, o que é um tipo saudável de medo e admiração.

As mães obviamente nos ajudam com esses esforços. Se de alguma forma esquecemos que estão por perto, elas rapidamente nos lembram da sua presença – pigarreando para chamar nossa atenção, por exemplo, ou derrubando alguma coisa no chão...

O quão maravilhoso será quando estivermos sintonizados dessa maneira com a presença de Deus, dispostos a fazer o que Ele quer e evitar tudo aquilo que O desagrada!

Infelizmente, Deus não costuma chamar nossa atenção explicitamente (pigarreando, por exemplo). Antes, Ele se compraz buscando outras formas de fazê-lo, e a Tradição católica registra muitas delas. Os capítulos deste livro podem ser todos vistos como métodos para praticar a presença de Deus.

Podemos colocar isso em prática, em primeiro lugar, procurando conhecê-lO melhor. À medida que estudamos as Escrituras e passamos tempo com o Senhor em oração, nosso conhecimento dos seus caminhos se torna cada vez mais profundo – e esse é o começo do amor, uma vez que não se pode amar alguém que não se conhece.

No entanto, podemos fazer ainda mais. Nós podemos empregar métodos mais específicos, conhecidos como «orações de presença de Deus».

Os manuais de oração nos oferecem muitas preces formais por meio das quais reconhecemos a presença divina. Uma das minhas favoritas é a que começa dizendo: «Meu Senhor e meu Deus, creio firmemente que estás aqui, que me vês, que me ouves. Adoro-Te com profunda reverência...». Naturalmente, as cinco primeiras palavras sozinhas já trazem um reconhecimento perfeito, pois foram imortalizadas por São Tomé Apóstolo, que as pronunciou ao reconhecer o Senhor ressuscitado (cf. Jo 20, 28). Também podemos simplesmente invocar o nome de Jesus ou usar uma das jaculatórias de que tratamos no Capítulo 12.

Outro auxílio também pode vir das imagens. Talvez nossas condições de trabalho permitam que tenhamos uma cruz ou uma estampa por perto. Nem todos têm essa liberdade, mas sempre se pode encontrar maneiras de criar lembretes. Tenho um amigo que faz uma cruz usando dois clipes de papel e a coloca ao lado do telefone todos os dias. Como boa parte do seu trabalho exige o uso do telefone, aquela cruz é para ele um símbolo constante da presença de Deus. Os primeiros cristãos evitavam o estigma da cruz traçando o contorno de um peixe em suas casas e seus locais de trabalho, em suas lâmpadas e seus pães. Sem dúvida, podemos encontrar maneiras próprias de criar lembretes discretos.

Das várias práticas incluídas neste livro, algumas certamente servirão para você. Talvez seja possível integrá-las a um plano, espaçando-as ao longo do dia.

Queremos ter consciência da presença de Deus a todo momento. Nossas práticas de oração e estudo são como trepadeiras que plantamos no decorrer do dia – momentos ocasionais em que prestamos especial atenção a Nosso Senhor. Se os vivermos da maneira certa, esses momentos crescerão como as trepadeiras e nossa consciência da presença de Deus cobrirá o dia inteiro, a exemplo da hera que cobre um muro antigo e o torna mais bonito.

Medite no coração

No início de seu noviciado, [o Irmão Lourenço] passava as horas estabelecidas para as orações íntimas pensando sobre Deus, de forma a convencer sua mente da existência divina e gravar essa existência no fundo de seu coração, não mediante estudos racionais ou meditações elaboradas, mas por meio de sentimentos devotos e pela submissão às luzes da fé. Com seu método curto e certeiro, ele se exercitou no conhecimento e no amor de Deus e decidiu aplicar todo o seu empenho para viver na sensação constante de sua presença – e, se possível, para nunca mais esquecê-la.

Depois, portanto, de ter preenchido, em oração, sua mente de grandes sentimentos por aquele Ser infinito, ele realizava seu trabalho na cozinha (era, com efeito, cozinheiro da sociedade); e, tendo primeiro considerado as várias coisas que o ofício exigia, e também a maneira e o momento certo de executá-las, rezava durante os intervalos, bem como antes e depois do trabalho.

Quando começava a trabalhar, dizia a Deus, com a confiança de um filho: «Ó, meu Deus, já que estás comigo, devo agora, em obediência às tuas ordens, aplicar minha mente a estas coisas exteriores. Peço-Te que me conceda a graça de continuar na tua presença; e, para a finalidade que agora se apresenta, concede-me tua assistência, recebe todos os meus trabalhos e possui todos os meus afetos».

À medida que prosseguia em seu trabalho, ele continuava sua conversação familiar com o Criador, implorando por sua graça e oferecendo-Lhe tudo quanto fazia. Ao terminar, ele mesmo examinava como cumprira seu dever: se concluísse que o fizera bem, dava graças a Deus; se concluísse o oposto, pedia perdão e, sem qualquer abatimento, reajustava sua mente para continuar o exercício da presença divina, como se nunca tivesse se desviado dela. «Assim», declarou, «levantando após minhas quedas e renovando frequentemente os atos de fé e amor, cheguei a um estado em que seria tão difícil não pensar em Deus quanto fora difícil me acostumar inicialmente a essa ideia».

Uma vez que o Irmão Lourenço descobrira tão grande benefício em caminhar na presença de Deus, era natural que recomendasse enfaticamente o método a outras pessoas. Seu exemplo, no entanto, era um incentivo mais forte do que quaisquer argumentos que ele pudesse propor. Sua expressão facial era edificante; nela transparecia uma devoção doce e calma, algo que invariavelmente impactava o observador. Via-se que, mesmo nos momentos mais atarefados do trabalho na cozinha, ele ainda preservava seu recolhimento e mantinha sua mente voltada para o céu. Jamais se mostrava apressado ou indolente, mas fazia cada coisa a seu tempo, com compostura impassível e espírito tranquilo. «O tempo do trabalho», dizia, «não se diferencia para mim do tempo da oração; no barulho e na bagunça da minha cozinha, enquanto várias pessoas me pedem coisas diferentes ao mesmo tempo, possuo Deus em grande tranquilidade, como se estivesse de joelhos diante do Santíssimo Sacramento»[1].

– Depoimento anônimo sobre o Irmão Lourenço,
século XVII

---

(1) Irmão Lourenço, *A prática da presença de Deus*, Conversação 4 (ligeiramente adaptada).

33. Esmola

Você talvez esteja se perguntando o que esse tópico tem a ver com as devoções e a vida de piedade. A resposta é simples: tudo.

Em primeiro lugar, a esmola flui natural e sobrenaturalmente das nossas orações. À medida que nos aproximamos de Jesus, nós O vemos tal como Ele é e queremos obedecê-lO; ora, o próprio Jesus instruiu seus seguidores a dar esmolas – e o fez em termos nada ambíguos (cf. Lc 12, 33; Mt 6, 2-4). Além disso, se vamos nos aproximando dEle, queremos ser cada vez mais como Ele é – e Ele deu absolutamente tudo o que tinha, até o momento em que não havia mais nada para dar.

A esmola *em si mesma* é uma poderosa forma de oração. A Bíblia diz: *Boa coisa é a oração acompanhada de jejum, e a esmola é preferível aos tesouros de ouro escondidos, porque a esmola livra da morte: ela apaga os pecados e faz encontrar a misericórdia e a vida eterna* (Tb 12, 8-9).

E por que a esmola é superior à oração e ao jejum? Porque inclui e ultrapassa ambas as coisas. Dar esmola é dar a Deus. É mais do que levantar fundos para Ele; trata-se, antes, de elevar a Ele nossa mente e nosso coração. É oração! Se a fazemos da maneira certa, no entanto, a esmola é também jejum, uma vez que essa doação vem da nossa substância mesma – é uma doação que chega a doer. Jesus comparou a viúva pobre a todos os benfeitores ricos e concluiu que ela era mais generosa: *porque todos deitaram do que tinham em abundância; esta, porém, pôs, da sua indigência, tudo o que tinha para o seu sustento.* (Mc 12, 44).

O poder da esmola vem da oração sincera. Sem a oração, ela facilmente se desfaz em mera filantropia, isto é, numa oportunidade para sair bem na foto e alavancar o orgulho.

A oração autêntica, por outro lado, sempre nos leva a dar mais, de maneira mais generosa. Isso vale sobretudo para a nossa participação na Missa. Quanto maior for a nossa devoção, mais devemos sentir o chamado para dar algo que é nosso, que é da nossa substância. Os primeiros cristãos sabiam disso: não podemos fazer uma boa Comunhão se negligenciamos os pobres. Vejamos as palavras de São João Crisóstomo, escritas no século IV:

> Se queres honrar o corpo de Cristo, não O ignores quando Ele estiver nu. Não O honres no templo em vestes de seda para depois negligenciá-lO do lado de fora, onde Ele passa frio e nada tem com que se vestir. Foi Ele quem disse: *Quando tive fome, não me destes de comer*; e também: *Todas as vezes que fizestes isto a um destes meus irmãos mais pequeninos, foi a mim mesmo que o fizestes*. De que vale uma mesa eucarística posta com candelabros de ouro se teu irmão morre de fome? Começa por satisfazer sua fome, e então poderás adornar o altar com o que te sobrar[1].

Muito antes disso, por volta do ano 107 d. C., Santo Inácio de Antioquia traçou a mesma relação. Na verdade, ele notou que as duas marcas da heresia estavam em negligenciar os pobres e negligenciar a Eucaristia:

---

(1) São João Crisóstomo, *Homilias sobre Mateus*, 50, 3-4, citado em São João Paulo II, Carta encíclica *Ecclesia de Eucharistia*, n. 34.

Eles não se importam com a caridade, com a viúva, com o órfão, com os aflitos, com o prisioneiro, com os que passam fome e sede. Abstêm-se da Eucaristia e da oração [em comum] porque não confessam que a Eucaristia é a carne de Jesus Cristo, nosso Salvador[2].

E, para que ninguém pense que as exigências da vida cristã mudaram desde então, tenhamos o cuidado de observar o exemplo de católicos mais próximos de nós. Alguns talvez frequentem a sua paróquia; muito provavelmente, cuidam de alguma iniciativa local para distribuir alimentos aos pobres. No entanto, você os vê primeiro na Missa diária.

Todos eles praticam a doação de maneira heroica, e às vezes seu trabalho acaba por ser reconhecido. Dorothy Day, fundadora do Movimento Operário Católico, exemplifica em altíssimo grau essa esmola eucarística. A respeito dela, Robert Ellsberg disse:

> Ela acreditava na presença real de Cristo no pão e no vinho consagrados sobre o altar, mas também acreditava que Cristo estava verdadeiramente presente nos pobres, de modo que nossa reação diante deles era um teste da autenticidade da nossa adoração. Como podemos amar a Deus, que nunca vimos, se não amamos o próximo, que já podemos ver? E como podemos amar o próximo que tem fome senão alimentando-os? Eis o mistério dos pobres: eles são Jesus, e o que fazemos a eles, fazemos a Cristo[3].

A Eucaristia é a chave para uma civilização de amor. Ela nos resguarda da ternura equivocada e da filantropia autocongratu-

---

(2) Santo Inácio de Antioquia, *Epístola aos esmirniotas*, 7.
(3) Robert Ellsberg, palestra ministrada na Universidade de Nova York por ocasião do simpósio em homenagem ao centenário de Dorothy Day, 08.11.1997. Disponível em: <CatholicWorker.org>.

latória, pois por meio dela recebemos a graça de nos sacrificar como Jesus. Ela nos dá a própria graça do sacrifício de Cristo. A Eucaristia também nos protege contra o complexo de messias, já que por meio da Santa Comunhão permitimos que o verdadeiro Messias aja em nosso nome.

Esse fenômeno já foi observado e documentado por não católicos. O estudioso anglicano Gregory Dix afirmou ser «uma questão histórica, factual e observável» que «uma doutrina sacramental "elevada" sempre vem acompanhada de uma consciência mais aguçada da condição dos pobres de Cristo»[4].

Mais recentemente, o sociólogo episcopaliano Robert Bellah observou que a devoção eucarística do catolicismo romano é a última grande esperança da sociedade americana. Ele diz o seguinte:

> O código cultural que precisamos mudar é mais profundo do que a ideologia ou a análise de políticas públicas; está fundamentado na [...] imaginação religiosa [...]. Creio que neste momento precisamos reconstituir nosso código cultural dando ênfase muito maior à vida sacramental, [...] em particular à Eucaristia. É nesse momento que nos tornamos membros uns dos outros – não apenas participando da Eucaristia, mas de fato sendo a Eucaristia, completando em nós mesmos, como diz São Paulo em Colossenses, aquilo *que falta às tribulações de Cristo*, por meio da doação de si e do amor pelo mundo inteiro[5].

O Papa Paulo VI certa vez perguntou: «Queres a paz?» Em seguida, supondo uma resposta afirmativa, prosseguiu: «Trabalha pela justiça». Nós, por outro lado, podemos nos perguntar: «Queremos justiça?». E a resposta que obteremos será

---

(4) Gregory Dix, *The Shape of the Liturgy*, Seabury, Nova York, 1982.
(5) Robert N. Bellah, "Religion and the Shape of National Culture", *America*, edição de 31.07 a 07.08, 1999, págs. 9-14.

igual à dos primeiros cristãos, isto é, virá do altar. Cito esta passagem noutro capítulo deste livro, mas ela merece ser repetida (também por isso vem sendo lembrada desde o século III): «As viúvas e os órfãos devem ser reverenciados como o altar do sacrifício».

Isso levanta uma série de questões práticas. Por exemplo: quanto devo dar? Algumas pessoas seguem o dízimo à risca – isto é, dão um décimo dos seus rendimentos brutos a obras de caridade. Trata-se de uma ação louvável, mas não foi divinamente revelada. Além disso, para determinadas pessoas e em determinados momentos, isso pode não ser suficiente. Quando as necessidades alheias são grandes, devemos responder com ofertas igualmente grandes. Noutras ocasiões, contudo, pode ser que não tenhamos nem essa décima parte para dar.

Por isso, voltemos ao início: para a oração, para o altar. Se pudermos olhar para Nosso Senhor eucarístico – que se entrega a nós e não retém nada para Si – e dizer-Lhe sinceramente que estamos dando tudo o que conseguimos, então esse é provavelmente o valor que devemos dar. Se não pudermos fazer isso, provavelmente é hora de reexaminar nossa oferta.

Medite no coração

Cristo compreendeu que temos uma fome terrível de Deus, [...] pois fomos criados para amá-lO; por isso, Ele se fez Pão Vivo e disse: «Se não comerdes da minha carne e não beberdes do meu sangue, não podereis viver, não podereis amar, não podereis servir».

[...] Ele também nos quer oferecer a chance de colocar em ação, na vida real, nosso amor por Ele. Faz-se faminto, e não apenas de pão, mas também de amor. Faz-se nu, e não pede apenas uma peça de roupa, mas também aquele amor compreensivo, aquela dignidade que é a dignidade humana. Faz-se desabrigado, e não pede somente um canto numa sala pequena, mas também um amor sincero e profundo pelo próximo. E isso é a Eucaristia. Isso é Jesus, o Pão Vivo que Ele veio partilhar comigo e convosco[6].

– Santa Teresa de Calcutá, século XX

---

(6) Santa Teresa de Calcutá, citada em David Scott, *A Revolution of Love: The Meaning of Mother Teresa*, Loyola Press, Chicago, 2005, pág. 88.

Parte VIII
Amor para a vida toda

34. Devoção à Trindade

Nós cristãos costumamos tratar a Trindade como uma espécie de sinal de pontuação. Invocamos o Santo Nome quando traçamos o sinal da cruz no início de uma oração, e fazemos o mesmo ao concluí-la – ou então rezamos um «Glória ao Pai», que é uma oração trinitária. Entre uma coisa e outra, porém, não ficamos muito tempo pensando em como um único Deus pode ser três pessoas. Mas que culpa temos? Trata-se de um mistério profundo demais para ser penetrado. Por que deveríamos nos dar o trabalho de pensar nisso, então?

Isso me traz à memória um professor de catequese que pediu aos alunos que definissem o significado de *mistério*. Um menininho levantou a mão e disse: «Ah, é uma coisa na qual temos de acreditar mesmo sabendo que não é verdade».

Embora possamos compreender a confusão do garoto, somos obrigados a discordar do seu julgamento. Pois sabemos que o mistério da Trindade é verdadeiro – ele é, na verdade, a coisa mais verdadeira que se pode conceber. Muito mais do que um sinal de pontuação a demarcar o início e o fim de uma oração, a Trindade é a soma, a substância, o sujeito e o objeto da oração. Consideremos o que o *Catecismo da Igreja Católica* tem a dizer sobre a Trindade:

> O mistério da Santíssima Trindade é o mistério central da fé e da vida cristã. É o mistério de Deus em si mesmo. É,

portanto, a fonte de todos os outros mistérios da fé, é a luz que os ilumina. É o ensinamento mais fundamental e essencial na «hierarquia das verdades de fé». «Toda a história da salvação não é senão a história da via e dos meios pelos quais o Deus verdadeiro e único, Pai, Filho e Espírito Santo, Se revela, reconcilia consigo e une a Si os homens que se afastam do pecado» (*CIC*, n. 234).

A Trindade é a razão de todas as razões, a realidade central de todas as comemorações da Igreja, a fonte de todos os outros mistérios e devoções. Todos os sacramentos e toda a liturgia católica *referem-se* à Santíssima Trindade.

Então por que desviamos dela com todo o cuidado? Ou por que passamos por ela correndo, como se cumpríssemos uma formalidade?

Creio que o problema principal está na maneira como pensamos no «mistério». Em geral, costumamos fazer reflexões em termos quase matemáticos: um mistério é um problema tão enigmático, tão contraditório, que não pode jamais ser resolvido. De fato, a doutrina da Trindade nos apresenta algo que parece ser uma contradição. Ela nos diz que três é igual a um, embora saibamos que três e um não são a mesma coisa. No entanto, precisamos crer nela, sob a pena de deixarmos de ser cristãos – e é por isso que aceitamos a doutrina e seguimos adiante com nossa oração.

Contudo, mistério não é matemática. Mais útil seria se pensássemos no mistério como pensamos num casamento ou noutra relação humana muito profunda. Jamais poderemos «decifrar» a pessoa com quem nos casamos, mas certamente podemos crescer em amor por ela, bem como no conhecimento e na compreensão de quem ela é.

A Trindade é o relacionamento de amor que esperamos conhecer no céu para sempre. Se não crescermos em amor por esse mistério, não estaremos nem um passo mais perto do céu. E, nesse caso, nossa fé seria superficial. Estaríamos perdendo de vista o que há de mais importante em «toda a história da salvação», que é idêntica à Revelação do Deus Trinitário.

Deus Pai enviou o Filho para que pudéssemos receber o Espírito. E por quê? Lembre-se: Deus se tornou aquilo que somos para que pudéssemos nos tornar aquilo que Ele é. Ele assumiu nossa natureza para que pudéssemos participar da natureza dEle. O Paraíso nada mais é do que essa participação, essa comunhão, e isso já começou para nós no batismo.

A palavra Trindade não aparece nas Escrituras. Trata-se de um termo teológico que os cristãos cunharam para descrever a realidade que está no âmago da Revelação divina. Ao fim do Evangelho de São Mateus, Jesus ordena que os discípulos batizem *em nome do Pai, do Filho e do Espírito Santo* (Mt 28, 19). É uma frase enigmática: Jesus fala em um só «nome», mas em seguida *nomeia* três pessoas. São Paulo pressupõe esse mesmo mistério quando pronuncia a bênção que usamos na Missa: *A graça do Senhor Jesus Cristo, o amor de Deus e a comunhão do Espírito Santo estejam convosco!* (2 Cor 13, 13).

De fato, para São Paulo, cada aspecto da religião cristã é um mistério trinitário. A oração, por exemplo. Paulo parte de uma premissa que vem a ser confirmada pela experiência, pelo menos no meu caso: *porque não sabemos o que devemos pedir, nem orar como convém* (Rm 8, 26). Esse é um problema real: queremos falar com um Deus que é inteiramente diferente de nós. Como encontrar uma linguagem comum? Por onde começar?

Há entre nós e Deus uma linguagem em comum porque Ele nos deu a sua Palavra eterna. Nós rezamos a partir do interior de Cristo e rezamos com o poder do seu Espírito. Na verdade, *o Espírito mesmo intercede por nós com gemidos inefáveis* (Rm 8, 26). A oração cristã é em si mesma uma prova da vida de que viemos a participar por meio do batismo: *O Espírito mesmo dá testemunho ao nosso espírito de que somos filhos de Deus* (Rm 8, 16). Para São Paulo, estamos agora vivendo *em Cristo* (Rm 8, 1), de maneira que podemos nos dirigir ao Pai com total sinceridade a partir do Espírito do Filho. Podemos chamá-lo de «*Abba*! Pai!» com franqueza – e estaremos dizendo a verdade.

Nós já fomos elevados à vida da Trindade, aqui mesmo no momento presente. Não precisamos esperar para viver no céu. O céu veio até nós – embora ainda esperemos o dia da consumação, quando seremos como Ele, pois O veremos tal como é (cf. 1 Jo 3, 2). Todas as orações, portanto, são trinitárias, e não apenas no que diz respeito aos «sinais de pontuação».

Para São Paulo, toda a moral é trinitária também, uma vez que cada uma de nossas ações deve expressar nossa comunhão com Deus. Na verdade, uma abordagem cristã de qualquer matéria religiosa deve ter a Trindade como fundamento, embora esse fundamento frequentemente esteja pressuposto, e não expresso.

Na oração, entretanto, nós o recitamos o tempo todo – e não apenas no sinal da cruz ou no «Glória ao Pai».

Durante a Missa, várias orações nos lembram desse mistério. A Missa mesma é uma oração trinitária: adorando no Espírito, nos unimos ao Filho que se oferece ao Pai. Nós fazemos o sinal da cruz e proclamamos a bênção de São Paulo. Entoamos nossas orações em conjuntos de três: o «*Kyrie*», por exemplo, e o «Santo, Santo, Santo». Não repetimos «Tende piedade» ou «Santo» simplesmente pela ênfase. Estamos invocando implicitamente a Trindade, e o fazemos de modo explícito em outras orações da Missa, como o «Glória» e o «Credo Niceno-Constantinopolitano».

Nossa vocação cristã é trinitária. É a Trindade o mistério que se encontra no coração da nossa fé, e Deus quer que o coloquemos no coração da nossa vida. Ao mesmo tempo, Ele é tão diferente de nós que é difícil sequer começar a contemplar sua vida interior. (O fato de ter se tornado homem por nós já é de grande ajuda, é claro.)

Mas de que outras formas podemos nos aprofundar no mistério? O Papa João Paulo II propôs que começássemos refletindo sobre uma relação que conhecemos muito bem: o mistério da vida familiar. Com efeito,

> *o modelo originário da família deve ser procurado no próprio Deus*, no mistério trinitário da sua vida. O «Nós» divino constitui o modelo eterno do «nós» humano; e, em primeiro lugar, daquele «nós» que é formado pelo homem e pela mulher, criados à imagem e semelhança de Deus[1].

O mesmo Papa disse, de maneira ainda mais concisa: «Em seu mais profundo mistério, Deus não é um ente solitário, mas uma família, visto que tem em si a paternidade, a filiação e a essência da família, que é o amor»[2]. Talvez comecemos a conhecer Deus, essa divina e eterna família, quando passarmos a refletir em oração sobre o que deve ser uma família terrena.

Fomos criados por causa do amor. Quando experimentamos o amor na vida familiar, experimentamos algo celestial, mas ainda trata-se de uma mera imagem da glória maior que presenciaremos no céu e que proclamamos já no presente: Glória ao Pai, ao Filho e ao Espírito Santo, como era no princípio, agora e sempre, pelos séculos dos séculos. Amém!

Medite no coração

A nós, que somos ignorantes, parece-nos que todas as três Pessoas da Santíssima Trindade estão em uma só, como nas pinturas em que três faces figuram no mesmo corpo. Eis por que nos assustamos de tal maneira que o mistério acaba por parecer impossível, e então ninguém mais deseja pensar sobre o assunto. Com efeito, o intelecto se sente incapaz e receia ter dúvidas sobre essa verdade, perdendo, pois, algo bastante benéfico.

---

(1) São João Paulo II, *Carta às famílias*, n. 6, 02.02.1994. Grifo do autor.
(2) *Idem*, *Puebla: A Pilgrimage of Faith*, Daughters of St. Paul, Boston, 1979, pág. 86.

O que me foi apresentado [em visão] foram três Pessoas distintas, dado que podemos ver e falar com cada uma. Depois, observei que apenas o Filho assumiu a carne humana, por meio da qual a verdade da Trindade pôde ser vista. Todas essas Pessoas se amam, se comunicam e se conhecem. [...] Eis uma verdade grandiosa pela qual eu morreria mil vezes. Nas três Pessoas não há mais do que uma vontade, um poder e um domínio, de modo que uma não pode fazer nada sem as outras[3].

– Santa Teresa de Ávila, século XVI

---

(3) Santa Teresa de Ávila, citada em Kieran Kavanaugh (org.), *Teresa of Avila: The Way of Prayer*, New City Press, Hyde Park, 2003, pág. 102.

35. O Rosário

Por isto, desde agora, me proclamarão bem-aventurada todas as gerações (Lc 1, 48).

Sempre que rezamos o Terço, cumprimos essa profecia pelo menos cinquenta vezes. Chamamos a Virgem Maria de «bendita», usando as palavras inspiradas da Sagrada Escritura. Dirigimo-nos a ela com a saudação do Anjo Gabriel: *Ave, Maria, cheia de graça, o Senhor é convosco* (Lc 1, 28). Proclamamos seus privilégios, usando as palavras de sua parente Isabel: *Bendita sois vós entre as mulheres e bendito é o fruto do vosso ventre* (Lc 1, 42). É delicioso repetir essas palavras, pois elas são ricas de significado e vêm amplificadas pelas cenas do Evangelho, que são o foco da nossa meditação.

O Rosário é um método de oração meditativa experimentado e aprovado pelo tempo. Os Papas o recomendam há séculos; os santos o rezam diariamente. Ele tem o favor dos trabalhadores, das crianças, dos que percorrem um longo trajeto de casa até o trabalho, de gênios da ciência... Era a oração favorita do grande biólogo Louis Pasteur.

Ao rezar o Rosário, repetimos determinadas orações enquanto refletimos sobre certos acontecimentos («mistérios») das vidas de Jesus e Maria. As repetições são marcadas nas contas do terço, agrupadas de dez em dez. A exemplo de muitas outras devoções, no entanto, o Rosário é uma forma que permite variações. O Rosário das sete dores, por exemplo, inclui sete grupos de sete contas. Algumas pessoas concluem o Rosário com uma «Salve-rainha»; outros rezam a «Ladainha lauretana». Há também os que fazem uma sequência de orações pelo Papa, e até os que concluem sua maratona mariana cumprindo todos esses métodos! Da mesma forma, há variações de caráter étnico: os devotos alemães, por exemplo, têm o costume de improvisar inserções relacionadas a cada mistério na hora de rezar a «Ave-Maria». Por exemplo, enquanto meditam sobre a anunciação, eles rezam: «Bendito é o fruto do vosso ventre, Jesus, o Verbo que se fez carne». Ao meditarem sobre a crucificação, podem rezar: «Bendito é o fruto do vosso ventre, Jesus, que morreu por nossos pecados».

A Igreja reconhece oficialmente vinte «mistérios» apropriados para meditação. Devemos buscá-los nas Escrituras, de forma a meditar sobre eles com mais proveito: os cinco Mistérios Gozosos (a Anunciação, a Visitação, a Natividade, a Apresentação e o Encontro no Templo); os cinco Mistérios Luminosos (o Batismo de Nosso Senhor, as Bodas de Caná, o Anúncio do Reino, a Transfiguração e a Instituição da Eucaristia na Santa Ceia); os cinco Mistérios Dolorosos (a Agonia no Jardim das Oliveiras, a Flagelação, a Coroação de Espinhos, a Condução da Cruz e a Crucificação); e os cinco Mistérios Gloriosos (a Ressurreição, a Ascensão, a Descida do Espírito Santo, a Assunção e a Coroação de Nossa Senhora). O Papa João Paulo II sugeriu que cada grupo de mistérios fosse associado a certos dias da semana: os Mistérios Gozosos às segundas e sábados; os Luminosos às quintas; os Dolorosos às terças e sextas; e os Gloriosos às quartas e domingos. Também há outros mistérios «não oficiais» em circulação, criados a partir de correntes ocasionais de piedade bíblica e mariana. Ao longo dos anos, já vi muitos deles – os Mistérios Eucarísticos, por exemplo, bem como os Mistérios da Cura e os Mistérios da Igreja. Nunca encontrei um que me desagradasse, mas em minhas orações prefiro me ater aos vinte mistérios básicos.

No âmbito da vida humana, o Rosário *funciona* porque mobiliza a pessoa em sua totalidade. Ele envolve nossa fala e nossa audição; ocupa nossa mente e nos inspira emoções; prescreve que façamos uso dos nossos dedos, os órgãos sensíveis do tato. Se rezamos diante de uma imagem sacra, alimentamos nossa meditação por meio de mais um sentido corpóreo. É assim que o Senhor ressuscitado confirma a fé dos seus discípulos: *Vede minhas mãos e meus pés, sou eu mesmo; apalpai e vede* (Lc 24, 39). Não basta apenas ouvir sua voz, e menos ainda ler suas palavras. Queremos que ele preencha nossos sentidos.

E Ele o faz, graças ao amor de sua mãe. Nas Escrituras, ela figura como a primeira discípula. Quando os gentios vieram de longe procurando por Jesus, *acharam o menino com Maria, sua mãe* (Mt 2, 11). Se vê alguém que está em necessidade, ela intercede por eles (cf. Jo 2, 3). Quando Jesus morreu na Cruz, abandonado por seus amigos, Maria permaneceu com Ele, que a entregou ao «discípulo que mais amava» (isto é, a nós todos) dizendo: *Eis aí tua mãe* (Jo 19, 27). Por isso, ela nos ajuda a meditar de maneira única. Maria nos auxilia como mãe de Jesus – portanto, como testemunha de toda a sua vida. Ao mesmo tempo, ajuda-nos também como mãe nossa, que nos foi dada por Jesus, amando-nos como somente uma mãe pode amar.

Com Maria, assistimos aos eventos da nossa salvação à medida que eles se desenrolam. Entregamo-nos ao Rosário como a uma experiência multissensorial.

Há aqueles que ficam demasiadamente ansiosos por dominar seus vários elementos como se fossem tarefas individuais: querem rezar as orações, manusear as contas do terço e refletir profundamente sobre as cenas do Evangelho com árdua exatidão e verossimilhança histórica. Não. O Rosário funciona melhor quando evitamos todo esse trabalho: quando paramos de tentar equilibrar as muitas tarefas e, durante o tempo que estamos passando com nossa mãe, apenas nos abandonamos como crianças. A melhor maneira de relaxar é rezar o Rosário! Anos antes de se tornar Papa Bento XVI, o Cardeal Joseph Ratzinger disse a um entrevistador:

> A repetição é uma maneira de se ajustar ao ritmo da tranquilidade. Não se trata tanto de concentrar-se conscientemente no significado de cada palavra, mas de se deixar levar pela calma da repetição e do ritmo constante. Tanto mais porque o texto em questão não é pobre de conteúdo. Ele coloca grandes imagens e visões – coloca, sobretudo, a figura de Maria (e depois, por meio dela, a de Jesus) – diante dos meus olhos e da minha alma[1].

Não há nada de vão numa repetição assim. Rezar dessa forma é agradar a Nosso Senhor, que disse a seus discípulos: *Nas vossas orações, não multipliqueis as palavras, como fazem os pagãos* (Mt 6, 7). Os verdadeiros cristãos nunca se cansam de repetir as orações do Rosário, que são expressões de plenitude.

O melhor lugar para rezar o Rosário é com a família. Quando o padre Patrick Peyton disse: «Família que reza unida permanece unida», falava do Rosário. O Papa João Paulo II foi um pregador incansável dessa devoção em família, chegando até a cunhar um termo para a Santa Virgem – «Rainha da Família» – que acabou por ser acrescentado ao fim da popular ladainha mariana. Todas essas iniciativas certamente agradaram a Nossa Senhora. Depois de receber uma visão atormentadora do Calvário, Madre Teresa de Calcutá registrou que Maria lhe havia assegurado: «Não temas. Ensina-os a rezar o Rosário – o Rosário em família – e tudo ficará bem»[2].

É difícil fazer com que o Rosário em família se encaixe nos

---

(1) Cardeal Joseph Ratzinger, *God and the World*, Ignatius, São Francisco, 2002, pág. 319.
(2) Santa Teresa de Calcutá, *Come Be My Light*, Doubleday, Nova York, 2007, pág. 99.

horários de um lar agitado. Houve um período em que era difícil segurar todos os nossos filhos adolescentes – com seu ávido interesse por esportes – em casa ao mesmo tempo. Então fazíamos o que era possível: focávamos no único momento em que estávamos quase sempre juntos – o jantar – e concluíamos nossa refeição com uma dezena. Isso servia como um «sinal» que dávamos de entrada, até que pudéssemos organizar melhor nossos horários.

Embora o Rosário em família seja uma graça poderosa, a experiência do Rosário é muito individual. Do mesmo modo como diferimos em tudo o mais, a capacidade das pessoas de rezar determinadas orações difere também. Isso vale até para os papas. O Papa João Paulo II era conhecido por rezar várias dezenas do Rosário todos os dias. O Papa Bento confessou que às vezes a intensidade de três dezenas de meditação lhe era avassaladora e que ele precisava pausar a devoção.

Nem todos teremos uma experiência tão repleta de afetos com o Rosário. Para alguns de nós, manter o foco já é difícil o suficiente, mesmo com todos os nossos sentidos ativados.

Não obstante, seria um ato pecaminoso de orgulho abandonar essa oração apenas porque não a rezamos bem. Quando meus filhos eram bem novos, frequentemente me traziam «pinturas» que na verdade não passavam de borrões e rabiscos. Para mim, no entanto, tratava-se de obras de arte – e não só: eram também sacramentos de amor. Minha vida teria sido muito mais pobre se qualquer um de meus filhos tivesse abandonado aquela prática porque aos quatro anos não conseguia pintar a *Mona Lisa*.

Para Deus e para a Santa Virgem, todos os nossos esforços de oração são preciosos. Quando perseveramos no Rosário, tornamo-nos como criancinhas (cf. Mt 18, 3), filhos de Maria, filhos do nosso Pai celeste.

O bem-aventurado Papa João XXIII, que se colocava como uma criança diante de Maria, tinha um excelente conselho para aqueles que ficavam frustrados com a própria desatenção durante o Rosário. Eles desistiam de rezá-lo por acreditar que isso seria melhor do que rezar um Rosário ruim. João XXIII os corrigia, então, dizendo que um «Rosário ruim» era melhor do aquele que ficava por rezar.

Medite no coração

O Rosário, de fato, ainda que caracterizado pela sua fisionomia mariana, no seu âmago é oração cristológica. Na sobriedade dos seus elementos, concentra *a profundidade de toda a mensagem evangélica*, da qual é quase um compêndio. Nele ecoa a oração de Maria, o seu perene *Magnificat* pela obra da Encarnação redentora iniciada no seu ventre virginal. Com ele, o povo cristão *frequenta a escola de Maria*, para deixar-se introduzir na contemplação da beleza do rosto de Cristo e na experiência da profundidade do seu amor. Mediante o Rosário, o crente alcança a graça em abundância, como se a recebesse das mesmas mãos da Mãe do Redentor[3].

– São João Paulo II, século XX

---

(3) São João Paulo II, Carta apostólica *Rosarium Mariae Virginis*, n. 1. Grifos do autor.

36. Escapulários e medalhas

As medalhas fazem parte da vida católica desde os primeiros séculos da Igreja. Arqueólogos já escavaram inúmeros ornamentos pessoais desse tipo, sendo a cruz o mais popular. Em alguns casos, trata-se apenas de crucifixos; em outros, a cruz vem inscrita num medalhão. Medalhas da Santíssima Virgem Maria sempre foram populares, e há museus onde é possível encontrar exemplares datados da Antiguidade. Também há muito tempo que os santos servem de adorno para os corpos dos fiéis. A Igreja primitiva no Egito tinha devoção especial por São Menas, cuja sepultura se encontrava numa fonte famosa por suas águas medicinais. A imagem de São Menas figura em medalhas de peregrinos até na França!

Ao longo dos séculos, os fiéis ostentaram no corpo sua devoção por vários outros santos. Às vezes, só de olhar o mostruário de uma loja de produtos católicos e verificar o número de medalhas que trazem suas feições, já dá pra medir a popularidade de determinado santo. Alguns são presença quase certa: São José, São Judas, São Bento, São Cristóvão, Santa Teresa e Padre Pio, por exemplo.

Nós também usamos escapulários – itens feitos de tecido e geralmente usados sobre os ombros. Assim como as medalhas, eles estão disponíveis em grande variedade – tão grande, de fato, que poderíamos escrever um livro só sobre medalhas e escapulários. Em vez disso, no entanto, quero tomar como exemplo o escapulário que eu uso, o de Nossa Senhora do Carmo, já que ele é de longe o mais popular de todos – e é também aquele sobre o qual eu refleti mais profundamente!

Os escapulários são sinais de comprometimento com a vida contemplativa. Tiveram origem nos hábitos usados pelos monges, isto é, nas vestimentas que os diferenciam de pessoas comuns. No mundo antigo, o escapulário era como um sobretudo que protegia a túnica do monge enquanto ele trabalhava. Normalmente, era feito de lã; estendia-se por sobre os ombros e ao longo da parte frontal da túnica, de modo que aparentava ser quase cruciforme. A palavra «escapulário» vem do latim *scapula*, que significa «ombro»[1]. Com o passar dos anos, o escapulário passou a ser o item mais representativo e característico da vestimenta dos monges.

Também com o passar dos anos, os leigos buscaram maneiras de participar dos benefícios da vida monástica. Podemos até não viver enclausurados pelas paredes de um mosteiro, mas sentimos necessidade de ser contemplativos no meio do mundo. Por isso, adotamos certas práticas de oração e meditação, ajustando-as à nossa vida cotidiana de trabalho. Algumas pessoas, por exemplo, rezam as orações monásticas das «horas».

O escapulário menor (não tão grande quanto o tradicional) é um sinal da nossa participação na vida consagrada de monges e freiras. Mais especificamente, o Escapulário do Carmo é minha maneira de participar dos méritos e das boas obras da Ordem dos Carmelitas.

Trata-se de um escapulário composto por dois pedaços quadrados de tecido marrom, ligados por duas fitas; um quadrado fica no peito; o outro, nas costas. Quando decidi colocar o es-

---

(1) Para uma análise sobre as origens do escapulário, cf. Elizabeth Kuhns, *The Habit: A History of the Clothing of Catholic Nuns*, Doubleday, Nova York, 2003, págs. 67-69.

capulário, pedi a um sacerdote que benzesse o item e me «investisse» com ele, recorrendo a orações criadas para esse propósito. Ao fazê-lo, o padre me inscreveu na Ordem dos Carmelitas (embora o uso do item em si não requeira votos, consagrações pessoais ou compromissos eternos). Qualquer sacerdote ou diácono pode realizar essa cerimônia.

Desde o início, eu já estava ciente das profundas raízes bíblicas dessa prática. De acordo com a Ordem dos Carmelitas, sua origem remonta a Elias e Eliseu, profetas do Antigo Testamento que viveram em reclusão no longínquo Monte Carmelo, na região montanhosa da Samaria (cf. 1 Rs 18, 19 e 2 Rs 2, 25; 4, 25). O Escapulário do Carmo, em particular, evoca o «manto de Elias» que Eliseu tomou para si e passou a vestir (cf. 2 Rs 2, 14).

O último dos profetas, São João Batista, vestiu roupas humildes e peculiares – trajes rústicos feitos de pelo de camelo (cf. Mt 3, 4) – e viveu como eremita no deserto. Ademais, foi adiante *com o espírito e poder de Elias* (Lc 1, 17), e Jesus o identificou explicitamente com esse profeta (cf. Mc 9, 13).

Os cristãos antigos liam as Escrituras e desejavam viver como os profetas. Alguns deles acabaram por discernir o chamado para ir em peregrinação à Terra Santa e viver como eremitas no Monte Carmelo. Foi desse modo que teve início a Ordem dos Carmelitas.

A parte que me cabe nessa vida não é tão exótica ou heroica. Na verdade, ela está oculta – oculta no trânsito que enfrento numa rodovia, oculta no escritório onde passo horas e horas todos os dias, oculta nas crianças que se reúnem em torno da minha mesa a cada noite... Ela está tão oculta quanto o escapulário que eu uso por baixo da camisa, mas nem por isso é menos real. Em todas essas circunstâncias, meu escapulário me recorda de que faço parte de uma *família espiritual* com membros dispersos pelo mundo e pelos séculos, uma família cujos membros compartilham certos ideais e costumes.

A Ordem dos Carmelitas sempre cultivou uma devoção

particularmente intensa à Santíssima Virgem Maria, e em geral é a imagem da Virgem que aparece no Escapulário do Carmo. Conta-se que, no século XIII, ela apareceu ao carmelita São Simão Stock (assim chamado porque vivia num tronco – em inglês, *stock* – de árvore!) e lhe disse que quem morresse «vestindo esse item jamais sofreria o fogo eterno».

O Papa João Paulo II afirmou que o escapulário é poderoso precisamente por ser um «hábito», em todos os sentidos da palavra – tanto um uniforme quanto um padrão de bom comportamento e fé. Se formos fiéis ao uso do escapulário, seremos fiéis à vida no Carmelo – a Elias, Eliseu, João, Jesus e Maria.

Quando recoloco o escapulário logo que saio do banho, estou assumindo deliberadamente uma vida, reafirmando minha vontade de viver de forma celestial mesmo aqui na terra. Como, portanto, o escapulário não me levaria para o céu desse jeito? Não surpreende que tantas pessoas beijem o escapulário todos os dias ao colocá-lo.

Santa Teresinha do Menino Jesus declarou:

> Como estou feliz por você estar revestida do santo escapulário! É um sinal seguro de predestinação, e, depois desse modo, você não está ainda mais unida intimamente às suas irmãzinhas do Carmelo?[2]

Como já se disse, há muitos outros modelos de escapulário além do marrom. Os beneditinos têm um; os dominicanos, outro; e os premonstratenses, mais um. Desde 1910, os católicos estão autorizados a usar, em vez do escapulário de pano, um escapulário composto de duas medalhas. Muita gente faz isso. As medalhas desses escapulários trazem a imagem do Sagrado Coração de Jesus de um lado e a de Maria do outro.

---

(2) Santa Teresa do Menino Jesus, Carta à sua irmã Celine, 16.07.1894, em *Obras completas*, Edições Loyola, São Paulo, pág. 503.

Medite no coração

No sinal do Escapulário evidencia-se uma síntese eficaz de espiritualidade mariana, que alimenta a devoção dos crentes, tornando-os sensíveis à presença amorosa da Virgem Mãe na sua vida. O Escapulário é essencialmente um «hábito». Quem o recebe é agregado ou associado num grau mais ou menos íntimo à Ordem do Carmelo, dedicado ao serviço de Nossa Senhora para o bem de toda a Igreja. Por conseguinte, quem veste o Escapulário é introduzido na terra do Carmelo, para que «coma os seus frutos e produtos» (cf. Jr 2, 7) e experimente a presença doce e materna de Maria, no empenho cotidiano de se revestir interiormente de Jesus Cristo e de O manifestar vivo em si para o bem da Igreja e de toda a humanidade.

São portanto duas as verdades recordadas no sinal do Escapulário: por um lado, a proteção contínua da Virgem Santíssima, não só ao longo do caminho da vida, mas também no momento da passagem para a plenitude da glória eterna; por outro, a consciência de que a devoção a Ela não se pode limitar a orações e obséquios em sua honra em algumas circunstâncias, mas deve constituir um «hábito», isto é, um ponto de referência permanente do seu comportamento cristão, tecido de oração e de vida interior, mediante a prática frequente dos sacramentos e o exercício concreto das obras de misericórdia espiritual e corporal. Desta forma o Escapulário torna-se sinal de «aliança» e de comunhão recíproca entre Maria e os fiéis: de fato, ele traduz de maneira concreta tanto a entrega que Jesus, na Cruz, fez a João, e nele a todos nós, da sua Mãe quanto o ato de confiar o seu apóstolo predileto e a nós a Ela, constituída nossa Mãe espiritual[3].

– São João Paulo II, século XX

---

(3) São João Paulo II, Mensagem à Ordem do Carmelo, n. 5, 25.03.2001.

37. Oração mental

Eu às vezes me pergunto se há muitos católicos que se sentem desestimulados a praticar a oração mental só porque esse nome é muito intimidador e esotérico. Ele traz à mente imagens de um sujeito com os olhos fechados e os dedos nas têmporas, movendo objetos que estão do outro lado da sala, a seis metros dele.

A verdade, porém, é que se trata de algo mais humilde e familiar. Santa Teresa de Ávila resumiu a oração mental como uma «amizade – estando muitas vezes tratando a sós – com quem sabemos que nos ama»[1].

Em certo sentido, toda oração é «oração mental»; todas elas devem mobilizar por completo as nossas mentes: a Missa, o Rosário, as novenas, e assim por diante. São João Damasceno definiu a oração como «a elevação da mente a Deus».

No entanto, há um tipo de oração que dá mais ênfase a nossas faculdades mentais, elevando a mente a Deus num diálogo íntimo e silencioso. E é isso o que a tradição cristã chama de oração mental.

Nós adquirimos o *pensamento do Senhor* (1 Cor 2, 16) por meio do tempo que passamos em sua companhia, estabelecendo com Ele esse diálogo íntimo e silencioso. Sabemos disso por

---

(1) Santa Teresa de Ávila, *Livro da vida*, 9, 5.

experiência própria. Todos sofremos influência de amigos, professores e pais, e sabemos que essa influência tende a crescer à medida que passamos mais tempo dialogando íntima e silenciosamente com essas pessoas.

Ao longo do tempo, porém, aprendemos que o diálogo silencioso não acontece naturalmente (pelo menos não com frequência). A vida é corrida, é barulhenta, e uma conversa prolongada às vezes requer planejamento e atenção.

Travar uma conversa com Deus exige as mesmas coisas. Do mesmo modo como num casamento ou numa amizade, conversas desse tipo são necessárias para fomentar a intimidade.

Precisamos separar tempo para a oração mental. Você é ocupado demais e não pode dispor de meia hora? São Francisco de Sales dizia que, se somos ocupados demais para rezar por meia hora, devemos rezar por uma hora inteira! Muitos autores de livros espirituais afirmam que vinte minutos é o mínimo necessário. Leva vários minutos só para aquecer a conversa. Também devemos passar algum tempo em atitude receptiva, «ouvindo» a palavra de Deus em nossas almas.

É importante encontrar um lugar e um momento em que a conversa possa transcorrer bem. Alguns acham que a melhor parte do dia é a manhã, antes que as distrações apareçam; outros só se sentem realmente dispostos mais tarde. Só você tem como saber qual é o melhor horário para a sua conversa com Deus.

O melhor lugar para realizá-la é diante do sacrário, na igreja. Mas, se não for possível ir até lá, devemos pelo menos tentar encontrar um lugar silencioso, com poucas distrações (desligue o celular!).

É melhor começar fazendo um «ato de presença de Deus», uma curta oração na qual nos dirigimos a Ele e reconhecemos sua presença: «Meu Senhor e meu Deus, creio firmemente que estás aqui, que me vês, que me ouves». Dessa forma, estamos, por assim dizer, «olhando nos olhos» de Deus. Isso faz com o que o resto da conversa flua mais facilmente.

Sobre o que devemos falar com Ele? Todos os temas são

válidos: nosso dia, nossos amigos, nossos familiares (filhos, pais, esposa ou esposo)... Considere-os um por um e eleve suas preocupações a Deus. Peça coisas boas para eles; pergunte o que você pode fazer para melhor servi-los. Nossa oração mental não deve ser apenas um momento em que recitamos um monte de intenções diante de Deus, mas é preciso que coloquemos nossas preocupações em nossas preces e que falemos sobre elas com o Senhor.

Também precisamos aprender a sentar e ouvir. Exige fé e um esforço consciente receber na alma a palavra de Deus, sabendo que talvez nem estejamos cientes de que isso está de fato acontecendo. Nossa alma não opera segundo o mesmo tipo de consciência de nossos sentidos e nosso cérebro. Podemos não perceber que estamos recebendo uma resposta de Deus, mas é certo que estamos. Talvez se passem muitos anos até que possamos entender algo que aconteceu a determinada altura da nossa vida, enquanto estávamos em oração.

Há obstáculos e dificuldades na prática da oração mental. Frequentemente, por exemplo, teremos de superar distrações, mas não devemos nos sentir desencorajados por elas. O que nos distrai pode virar tema de nossas orações. Afinal, é possível que sejam essas coisas as nossas preocupações verdadeiras, isto é, aquilo que não conseguimos tirar da cabeça quando saímos do escritório ou de casa. Devemos submetê-las a Nosso Senhor e pedir que Ele as esclareça para nós.

Às vezes, contudo, podemos nos deixar distrair por coisas que não deveriam estar entre nossas preocupações (pensamentos ou memórias impuras, por exemplo). Mas, novamente, se pedirmos a ajuda de Deus e perseverarmos, receberemos muitas graças durante a luta. A Santíssima Virgem Maria pode ser de grande ajuda. Ela quer que sejamos bem-sucedidos.

Se estivermos atravessando um período de aridez, no qual nada temos a dizer a Nosso Senhor, podemos conversar com Ele sobre isso também, pedindo-Lhe que nos diga o que fará em relação ao assunto. Também podemos trazer conosco uma

Bíblia ou um livro espiritual e utilizar suas frases como trampolim para a oração, submetendo cada linha a Deus e pedindo luzes. Santa Teresa fez isso durante um período de aridez que durou mais de uma década.

Ou, ainda, se nos sentimos tocados e não temos necessidade de usar palavras, podemos praticar a oração mental à maneira de um dos paroquianos de São João Maria Vianney. Ele descrevia o tempo que passava diante do sacrário dizendo: «Eu olho para Ele, Ele olha para mim».

Em certo sentido, devemos transformar todas as nossas orações em orações mentais – até os hinos que cantamos! São Paulo disse: *Então que fazer? Orarei com o espírito, mas orarei também com o entendimento; cantarei com o espírito, mas cantarei também com o entendimento* (1 Cor 14, 15). Também precisamos separar algum tempo todos os dias para falar com Deus. Pouco importa o nome; não se trata de nada exótico ou esotérico, mas apenas de oração – da oração mental em sua forma mais elementar e fundamental.

Medite no coração

Oração mental [...] é o que fica dito: pensar e entender o que dizemos e a Quem o dizemos e quem somos nós que ousamos falar com tão grande Senhor. Pensar nisto e noutras coisas semelhantes, o pouco que O temos servido e o muito que somos obrigadas a servi-lO, é oração mental. Não penseis que é outra algaravia, nem vos espante o nome.

Rezar o «Pai-nosso» e a «Ave-Maria», ou o que quiserdes, é oração vocal. Mas vede que mal sairá a música sem a primeira [...][2].

– Santa Teresa de Ávila, século XVI

---

(2) Santa Teresa de Ávila, *Caminho de perfeição*, 25, 3.

38. Reverência ao sacrário

Há certos gestos que nos distinguem como católicos, e a genuflexão é decerto um deles. Aquele rápido movimento de dobrar o joelho raramente é utilizado na vida cotidiana; para os católicos, no entanto, trata-se de um gesto instintivo, quase pavloviano. Certa vez, vi um grupo de seminaristas chegando no cinema, e vários deles fizeram uma genuflexão obediente ao entrar na sua fileira de assentos (ficaram vermelhos de vergonha logo em seguida).

Deus há de perdoá-los pelo excesso na prática de um hábito saudável. Em seus ossos, nervos e músculos, aqueles seminaristas conheciam uma verdade profunda: *E o Verbo se fez carne e habitou entre nós, e vimos sua glória, a glória que o Filho único recebe do seu Pai, cheio de graça e de verdade* (Jo 1, 14). O texto grego do Evangelho nos diz que o Verbo divino «estabeleceu seu tabernáculo» entre nós. Ele montou sua tenda aqui na terra.

Os primeiros cristãos regozijavam-se diante desse fato, a exemplo do que viria a acontecer com aquele grupo de seminaristas tantos anos depois. Uma vez que o sacerdote pronunciasse as palavras de consagração sobre os elementos do pão e do vinho, esses elementos se transformavam completa e permanentemente no Corpo e no Sangue de Jesus Cristo. Dizer que se tratava de uma presença meramente simbólica seria descrença; dizer que durava apenas o tempo da celebração litúrgica seria heresia. São Justino Mártir, que viveu em Roma por volta de 150 d. C., testemunhou a presença permanente de Jesus na Eucaristia. Ele menciona diáconos que, ao final da Missa, levavam o sacramento a doentes e outras pessoas que não podiam sair de casa. Escrevendo uma geração depois, no Norte da África, Tertuliano relatou que os cristãos guardavam a Eucaristia em casa nos tempos de perseguição, demonstrando a grande reverência que tinham pelo sacramento. Pouco depois disso, Hipólito de Roma escreveu sobre a necessidade de conservar a Eucaristia numa caixa sólida e impenetrável.

Respeito e reverência foram, portanto, marcas distintivas das práticas eucarísticas da Igreja desde os primeiros anos, e em terras tão distantes entre si quanto Roma e a África setentrional. E, com a legalização do cristianismo, os Padres da Igreja passaram a deixar ainda mais registros por escrito. Lemos, por exemplo, que São Basílio (em meados do século IV) suspendia um sacrário em formato de pombo acima do altar da igreja. Alguns anos depois, na Itália, São Paulino de Nola descreveu algo semelhante aos sacrários que temos nos dias atuais: uma alcova localizada dentro de uma igreja recém-construída.

Eles já sabiam naquela época (assim como nós sabemos hoje) que Jesus está de fato no Santíssimo Sacramento – com seu Corpo, Sangue, Alma e Divindade. Essa presença é duradoura e, portanto, deve ser assim reconhecida. Jesus deve ser adorado. Está escrito, afinal: *Por minha vida, diz o Senhor, diante de mim se dobrará todo joelho* (Rm 14, 11). Se Deus O exaltou, como diz São Paulo, para que *ao seu* nome [grifo nosso] *se dobre todo joelho no céu, na terra e nos infernos* (Fl 2, 10), imagine a importância de dobrar os joelhos diante da sua presença corpórea!

Hoje em dia, nossas igrejas mantêm suas hóstias consagradas num local que leva o nome de sacrário, ou tabernáculo. Esse segundo nome evoca Jo 1, 14, bem como a tenda portátil que continha a presença de Deus e era carregada pelos israelitas no passado. De acordo com a legislação da Igreja, o sacrário deve ser «inamovível, construído de matéria sólida e não transparente, e de tal modo fechado, que se evite o mais possível o perigo de profanação»[1]. O sacrário precisa também ser «colocado em alguma parte da igreja ou oratório que seja insigne, visível, ornada com dignidade e própria para a oração». É nítida a intenção da Igreja de tornar o sacrário um local de adoração divina.

Nós, portanto, agimos como nos é pedido. Sempre que passamos por um sacrário, tocamos brevemente o joelho direito no chão. Também podemos – e devemos – fazer mais. Além de ir à Missa, podemos passar na igreja e fazer uma rápida «visita» a Jesus no Santíssimo Sacramento. Se levamos alguém mais jovem conosco, essa pode ser uma excelente ocasião de aprendizado, uma vez que a visita ao sacrário é uma poderosa ferramenta para ensinar tacitamente a doutrina da presença real, além de ser mais eloquente e memorável do que centenas de catecismos. Não precisa se tratar de uma visita longa; bastam apenas alguns minutos para saudar Jesus e oferecer-Lhe uma oração silenciosa.

Os católicos também honram o altar da igreja. Quando passamos por ele, paramos e curvamos a cabeça ou o corpo todo. Essa veneração nos foi ensinada não só por Jesus – que demonstrou grande reverência pelo altar do Templo de Jerusalém (cf. Mt 23, 19-20) –, mas também pelos Padres da Igreja, que conseguiram criar uma civilização de amor a partir de seus santuários. «As viúvas e os órfãos devem ser reverenciados como o altar do sacrifício»[2].

Nossa caridade é a expressão da nossa fé e da nossa vida eucarística. Ela pressupõe a reverência do corpo de Cristo –

---

(1) *Código de Direito Canônico*, cânon 938.
(2) *Didascália dos apóstolos*, 9.

uma reverência que começa diante do sacrário e do altar, mas permanece conosco onde quer que estejamos. Até no cinema.

Medite no coração

Minha mãe costumava me levar para passear e nunca passava batido por uma igreja. Para ela, as igrejas existiam para que entrássemos. Ela me conduzia lá para dentro, guiava-me até a balaustrada onde os fiéis recebiam a comunhão e se ajoelhava para rezar.

Eu via o fervor com que seus lábios se moviam silenciosamente e percebia a atenção com que ela ficava escutando alguém que eu certamente não conseguia ver nem ouvir. Seu coração inteiro se colocava em oração. Era óbvio que ela estava conversando com uma pessoa importante, embora eu só pudesse ver o sacrário dourado e uma luz tremeluzindo perto dele.

Tudo aquilo me fascinava, mas não por muito tempo. Alguns momentos depois, eu me cansava e puxava a barra da saia dela: «Vamos embora». Aparentemente, ela nem me ouvia. Eu então repetia a mesma coisa de novo e de novo, erguendo gradualmente o tom de voz a cada repetição.

Finalmente, saíamos. Enquanto deixávamos a igreja, minha mãe me dizia: «É ali que Jesus está». Desde quando eu era uma criança pequenina que nada entendia, e mesmo no período em que minha compreensão era muito vaga, ela falava comigo sobre Jesus, nosso Salvador e Deus.

Bem, se minha mãe dizia que Jesus estava ali (e ela era muito sábia), e se o próprio Jesus dizia a mesma coisa, então estava dito. A fé católica na Eucaristia havia sido proclamada para mim, e eu sabia que era ela verdadeira.

Mais tarde, quando metido na pós-graduação em psicologia, sabia dizer muito bem quais eram as razões pelas quais uma criança se sente segura até mesmo em relação às coisas mais impressionantes que seus pais lhe dizem. Quando, porém, estudei em teologia a natureza e as causas da fé, pude perceber que minha fé, mesmo na infância, não era somente um «sentimento de segurança» subjetivo, algo que pudesse desaparecer quando surgissem indagações mais sofisticadas sobre o mundo.

Nesse mundo maravilhoso e assustador onde Deus vive verdadeiramente, alguém dotado de uma fé divina falou sobre uma verdade de fé a uma criança muito pequena. Aquela, no entanto, era uma criança que recebera no batismo o grande dom da fé. Mesmo ali, sem que eu soubesse, o Senhor concedera à minha limitada mente o preparo necessário para captar como verdadeiras as coisas que Ele queria me mostrar. Doravante, passei a conhecer parte do que há de mais sublime[3].

– Ronald Lawler, O.F.M. Cap., século XX

---

(3) Ronald Lawler, «Ordinary Faith in the Eucharist», *Catholic Dossier*, edição de setembro/outubro de 1996, págs. 28-30.

Parte IX
A vida continua

39. Preparação para a morte

Em certo sentido, «cuidar dos mortos» é o que fazemos o tempo todo. Afinal, *não sabeis nem o dia nem a hora* (Mt 25, 13). Já tive alunos muito jovens que morreram repentinamente devido a uma doença sem sintomas ou a um acidente terrível. Também já tive amigos que viveram mais dez anos depois de terem recebido do médico a notícia de que só viveriam mais alguns meses ou semanas.

É impossível prever quando vamos morrer. Sabemos, no entanto, que esse dia estará entre os mais importantes da nossa vida. Na verdade, toda a vida cristã pode ser vista como preparação para a morte.

Não obstante, é bom distinguir entre a preparação *remota* e a *próxima,* pois há certos procedimentos específicos que devemos cumprir caso saibamos que a morte é iminente – quer se trate da nossa própria morte, quer se trate da morte de um amigo ou parente.

A melhor preparação – melhor ainda se realizada com a máxima antecedência possível – está em fazer uma confissão boa e detalhada enquanto ainda estamos raciocinando com clareza e temos energia para tal. Nada traz tanta paz à alma do que uma confissão bem preparada: clara, concisa, contrita e completa. Se faz muito tempo que não nos confessamos (ou mesmo se faz pouco tempo), devemos fazer o máximo possível para tornar a prática *habitual* em nosso leito de morte.

Devemos deixar tudo pronto para que a unção sacramental nos seja ministrada tão logo descubramos uma doença grave. Também devemos nos preparar para receber a Sagrada Comunhão com a maior frequência possível, indo à Missa ou comunicando essa necessidade ao capelão do hospital (ou à paróquia local). É importante que façamos isso. Por questões legais, os profissionais de saúde geralmente não podem contatar membros do clero para coisas assim, a menos que o paciente o peça explicitamente. No passado, os católicos tinham o costume de levar consigo uma medalha ou cartão que dizia: «Sou católico. Em caso de emergência, por favor, chame um padre». Já vi colégios católicos cujas carteirinhas de identificação traziam esses dizeres em negrito, com todas as letras maiúsculas, logo abaixo da foto do aluno. Não sei se um desses itens serviria como autorização legal para que alguém chamasse um padre, mas pode ser que isso leve um médico ou uma enfermeira a pedir nossa permissão. Seja como for, trata-se de um testemunho poderoso da importância da fé e pode vir a ser nosso último ato de virtude. O pai de um amigo meu fez questão de usar um escapulário durante toda a sua estada no hospital e explicou à equipe médica por que o fazia; isso inspirou todos os membros da equipe a usarem escapulários também!

Se estamos morrendo, é importante que sejamos claros quanto às nossas metas e que as possamos ter sempre em mente. Nós estamos trabalhando para alcançar um objetivo e queremos alcançá-lo no momento certo. Se nos distraímos o tempo todo e evitamos pensar sobre a morte, mais cedo ou mais tarde o fracasso virá. Afinal, trata-se de um tema pesado e complexo demais, e o fim nos será angustiante caso não estejamos devidamente preparados para enfrentá-lo.

Por conseguinte, é bom seguirmos os passos dos santos e refletirmos bastante sobre os «quatro novíssimos»: a morte, o julgamento, o céu e o inferno. A Igreja nos estimula a fazê-lo mesmo quando não estamos doentes, de modo a que sempre vejamos nossos dias segundo a perspectiva da eternidade. Você já deve ter visto uma daquelas pinturas que retratam a cela de um monge e trazem um crânio humano sobre a escrivaninha. Não precisamos ir tão longe a ponto de comprar um crânio e colocá-lo no criado-mudo, mas a viagem geralmente fica mais tranquila e ligeira quando temos uma noção clara do local para onde estamos indo. Em nossas orações, na presença de Deus, devemos pensar sobre a morte.

Esse exercício também não nos deve deixar desanimados ou melancólicos. Os monges tinham um ótimo senso de humor, mesmo quando diante do inevitável. São Thomas More – que era leigo, advogado e pai de uma família numerosa – chegou a fazer uma piada com seu executor enquanto subia no cadafalso. Rir na cara da morte não é impróprio para um cristão. Quer estejamos oferecendo ou recebendo cuidados, jamais devemos subestimar o valor de um sorriso. Sei da história de um homem que «treinava» seu sorriso todos os dias durante uma hora antes da chegada da enfermeira. «Essa gente já vê sofrimento demais ao longo do dia», explicava. «Quero tornar sua caminhada um pouco mais agradável». Eis aí um exemplo heroico de caridade cristã. Estou certo de que isso lhe custou bastante, mas esse homem não gastou nisso um centavo sequer, e certamente também se sentiu melhor. Devemos nos lembrar de que uma sentença de morte é parte normal da vida, e não uma autorização para entristecer os outros com negligência e descuido. Devemos nos manter tão motivados quanto possível, além de cuidar para preservar nosso bom humor.

A escritora católica Muriel Spark precisou se defender várias vezes de críticos que a acusavam de crueldade por debochar da morte. Ela respondia dizendo: «Frequentemente me pronuncio de maneira impassível, mas também há aí uma afirmação moral, com a qual quero dizer que há vida após a morte e que esses acontecimentos não são as coisas mais importantes que existem»[1].

---

(1) Muriel Spark, citada em Helen T. Vorongos e Alan Cowell, «Muriel Spark, Novelist Who Wrote "The Prime of Miss Jean Brodie", Dies at 88», *New York Times*, edição de 16 de abril de 2006.

Não obstante, eles são importantes, uma vez que se trata da substância da vida que nos resta; devemos, pois, cuidar muito bem deles. Ao nos prepararmos para a morte, temos de tentar resolver todas as nossas pendências, de modo que os que permaneçam na terra não tenham tanto trabalho a fazer. Podemos encarar essa tarefa como aquela que fazemos nas últimas horas de um dia de trabalho – e podemos oferecê-la em oração, da mesma maneira como oferecemos nossos trabalhos cotidianos. Trata-se de uma atividade salutar que nos manterá ocupados (talvez até distraídos) e, ao mesmo tempo, nos fará seguir adiante rumo a nosso objetivo. Como boa parte dos afazeres humanos, também esse pode ser um ato de amor verdadeiro. Todavia, não devemos colocar pressão indevida sobre nós mesmos. Façamos o que é possível fazer.

É bom deixar instruções para que as pessoas que se importam conosco saibam o que desejamos. Isso vale sobretudo se recebemos cuidados de gente que não compartilha da nossa fé. Podemos ajudar as pessoas a entender quais são nossas preferências no que diz respeito a tratamentos médicos; catequizá-las a respeito das diferenças entre meios «ordinários» e «extraordinários»; ensinar-lhes que jamais se deve causar a morte de maneira intencional, mesmo que o paciente esteja sofrendo; e oferecer nosso testemunho sobre o valor do sofrimento suportado voluntariamente.

Na verdade, podemos fazer até mais do que isso: podemos oferecer nosso sofrimento a Deus. O bispo Fulton Sheen dizia se entristecer ao passar por um hospital e imaginar todo o sofrimento que ali estava sendo «desperdiçado» – sofrimento que podia ser extremamente útil. De fato, podemos unir nossos sofrimentos aos de Jesus (cf. Cl 1, 24) e, com isso, resgatá-los da insignificância. Podemos fazer com que tragam redenção. Nossas dores e desconfortos, nossos medos e humilhações, tudo isso tem potencial redentor graças ao poder de Cristo. Fulton Sheen rogava aos cuidadores e profissionais da medicina que contassem esse «segredo» aos seus amigos que sofriam. Devemos fazer o mesmo.

A fé católica também não é indiferente ao destino do nosso corpo depois da morte. A Igreja recomenda que nossos restos mortais sejam enterrados num cemitério católico, como sinal da nossa crença na ressurreição do corpo. Nossa carne foi divinizada no batismo e se uniu à carne de Jesus na Santa Comunhão, e portanto seu local de descanso é assunto sério. Eis por que os cristãos sempre trataram seus cemitérios como solo sagrado, como espaço santo.

Não se trata de uma orientação obrigatória. Se, no entanto, escolhermos outro local para o enterro, devemos tomar providências para que um padre ou um diácono abençoe a sepultura. A legislação atual da Igreja permite que os restos mortais do fiel sejam cremados, mas também nesse caso devemos tomar todas as providências para que as cinzas sejam depositadas em seu local de descanso seguindo os ritos da Igreja.

Quando a morte é enfim iminente, temos de acionar a Igreja para que ela nos dê o viático, os últimos sacramentos. Viático vem do latim *viaticum*, que significa a comida, o pão que o viajante leva para a jornada. Os ritos são belos e genuinamente úteis para que o fiel moribundo se mantenha atento ao que é preciso fazer. Eles dão azo a uma expressão derradeira de tristeza pelos pecados e para uma última profissão de fé católica. Se estamos encarregados de cuidar de alguém, também podemos ajudar fazendo leituras espirituais durante esses últimos dias, ou então simplesmente rezando jaculatórias em voz alta, algo que o fiel à beira da morte possa repetir ou meditar. Se estamos nos preparando para morrer, pode ser interessante fornecer algum material desse tipo aos nossos cuidadores, juntamente com as devidas instruções de leitura. Novamente, não se deve minimizar o valor evangélico e catequético desses últimos dias antes da morte; eles são um sinal e um mistério para os que sobrevivem. A morte de uma pessoa é frequentemente ocasião de conversão para outra.

Quando encaramos a morte como cristãos, somos como um bebê aguardando a hora de nascer. Nosso rosto pressiona uma membrana que nos separa da vida que não conseguimos ver e que não seríamos capazes de compreender. Vale a pena repetir as palavras ditas durante a Missa dos Fiéis Defuntos: «a vida não é tirada, mas transformada». O Cardeal Newman o disse em palavras que foram de grande conforto para mim quando da morte do meu pai e que continuam me confortando até hoje, depois de tantos anos e tantas outras despedidas: «Todos aqueles que um dia viveram continuam vivos».

Você e eu também haveremos de morrer. Ao morrer, no entanto, eis que viveremos (cf. 2 Cor 6, 9).

Medite no coração

Nada é tão difícil quanto dar-se conta de que todos os homens têm uma alma distinta, de que cada uma das milhões de pessoas que vivem ou já viveram é um ser completo e independente, como se não houvesse mais ninguém no mundo além dela. [...] Cada uma dessas almas ainda vive. Tinham seus próprios pensamentos e sentimentos quando na terra e continuam a tê-los agora. Tinham seus gostos, seus objetivos; receberam coisas que lhes foram agradáveis e delas desfrutaram. Elas ainda estão vivas em algum lugar, e o que fizeram na carne certamente influencia seu destino presente. Elas vivem na espera do dia que há de vir, quando todas as nações haverão de estar de pé diante de Deus[2].

– Cardeal John Henry Newman, século XIX

---

(2) Cardeal John Henry Newman, «The Individuality of the Soul», em *Parochial and Plain Sermons,* vol. 4, Longmans, Green, Londres, 1909, págs. 80-1, 83-4.

40. Orações pelos mortos

Alguns anos atrás, fiz uma peregrinação a Roma com um querido amigo. Eu então não sabia, mas uma de suas intenções com a viagem era obter cura. Meu amigo queria que Nosso Senhor «consertasse» as emoções conflitantes que ele tinha em relação a seu pai, que morrera muitos anos antes. Num dos lugares santos, ele de fato foi curado por um surto repentino de graça que se manifestou numa enxurrada de lágrimas.

Maravilhado e perplexo, meu amigo foi até o nosso capelão peregrino, o padre Joseph Linck, em busca de sabedoria para compreender o que havia acontecido. Diretor espiritual experiente, o padre Joseph explicou o acontecimento à luz da Comunhão dos Santos – isto é, dos vínculos que há entre os vivos e os mortos – e concluiu com palavras que espero nunca mais esquecer: «Os relacionamentos não têm fim».

Naquele momento, meu amigo percebeu que tinha o dever de rezar pela alma do seu pai. Percebeu também que não devia hesitar em pedir orações a ele. Estava, em suma, reconciliado com o pai e retomando a relação dos dois do ponto onde ela havia terminado.

Em sua misericórdia, Deus tornou isso possível para nós. A vida é curta; nem sempre temos tempo ou sabedoria para amar as pessoas como deveríamos, como elas merecem ser amadas. Às vezes, só conseguimos reconhecer que estamos em dívida com uma pessoa muito tempo depois que ela se foi, e aí já é demasiado tarde para agradecer-lhe. Se os relacionamentos terminassem com a morte, seria uma tragédia imensa: uma oportunidade totalmente perdida, uma ferida aberta para sempre.

A doutrina do purgatório remonta ao Antigo Testamento. O Segundo Livro de Macabeus relata que Judas Macabeu encontrou amuletos pagãos nos corpos de soldados judeus mortos, sinal de que haviam praticado idolatria e, portanto, pecado. Judas então *fez uma coleta* entre todos os soldados e a enviou a Jerusalém *para que se oferecesse um sacrifício pelos pecados.* Ele *pediu um sacrifício expiatório para que os mortos fossem livres de suas faltas.* O autor conclui dizendo que a oração pelos mortos é *um bom e religioso pensamento* (2 Mac 12, 39-46).

No judaísmo, práticas semelhantes eram comuns no tempo do ministério terreno de Jesus. Elas existem até hoje na forma de orações conhecidas como *kadish,* a qual se oferece por ocasião da morte de um parente, e *El Male Rachamim,* que diz respeito especificamente às almas dos que morreram.

O Novo Testamento também fala sobre o purgatório, embora apenas implicitamente. No Evangelho de Mateus, Jesus diz que todo aquele que *falar contra o Espírito Santo não alcançará perdão nem neste século nem no século vindouro* (Mt 12, 32). Fica implícito, pois, que há alguma forma de perdão «no século vindouro». Segundo São Paulo, o cristão que não é totalmente fiel a Deus *será salvo, porém passando de alguma maneira através do fogo* (1 Cor 3, 15). Metaforicamente, o fogo é a purificação do purgatório.

O livro do Apocalipse diz que no céu *não entrará nada de profano* (Ap 21, 27). O purgatório nada mais é do que uma etapa posterior à morte em que a alma é purificada de todas as impurezas, dos indícios dos pecados de uma vida toda. Parece que todos (ou quase todos) os que chegam ao céu precisam passar por essa etapa. Como disse São Paulo, *todos pecaram e todos estão privados da glória de Deus* (Rm 3, 23).

Se confessamos nossos pecados, Deus nos perdoa. No entanto, ainda é preciso que sejamos curados do dano que causamos a nós mesmos. E, assim como a cura terrena, essa cura pode acarretar sofrimento. Alguns remédios são amargos e chegam a causar enjoo; sessões de fisioterapia podem deixar o corpo dolorido. O médico, no entanto, não prescreve um remédio por causa de seus efeitos colaterais indesejados, mas por seu poder curativo. A cura às vezes machuca. A escritora católica Flannery O'Connor aplicava esse princípio à doutrina do purgatório:

> A água e o fogo são símbolos de purificação. Segundo me parece, a água simboliza aquela purificação que Deus nos concede independentemente de nossos esforços ou de nosso merecimento, ao passo que o fogo é a purificação que causamos a nós mesmos (no purgatório, por exemplo). É a nossa maldade que se queima e se esvai naturalmente quando se aproxima de Deus[1].

Decerto era assim que os primeiros cristãos liam o Evangelho. As catacumbas e outras sepulturas cristãs de tempos remotos dão testemunho da preocupação com as almas dos mortos. As famílias frequentemente gravavam pedidos na lápide para que os passantes se lembrassem dos que haviam partido. No fim do século II, Tertuliano, cristão nascido na África setentrional, falou sobre o purgatório; o mesmo fez São Cipriano, seu conterrâneo, no século III. Encontramos essa mesma doutrina nos escritos de Orígenes, no Egito. Santa Mônica, mãe de Santo Agostinho, rogou-lhe que oferecesse uma Missa para ela quando ela morresse. São João Crisóstomo, por sua vez, pediu à sua congregação que oferecesse a liturgia aos mortos:

> Ajudemo-los e rememoremo-los. Se os filhos de Jó foram purificados pelo sacrifício de seu pai [cf. Jó 1, 5], por

---

[1] Flannery O'Connor, *The Habit of Being*, Vintage, Nova York, 1980, pág. 387.

que haveríamos de duvidar de que nossas oferendas trazem certo consolo aos mortos? Não hesitemos em ajudar os que morreram nem em oferecer-lhes nossas orações[2].

Essa é e sempre foi a fé da Igreja de Jesus Cristo. Do Antigo ao Novo Testamento, dos Padres Apostólicos aos escolásticos medievais, ninguém ousava questionar a continuidade das relações entre os cristãos. Os que permaneciam na terra tinham uma forma de se relacionar com os que haviam morrido. Isso só se perde a partir da Reforma Protestante. O teólogo luterano Frank Senn coloca a questão de maneira sucinta: «a abolição das Missas votivas [por parte de Martinho Lutero], sobretudo aquelas oferecidas pelos mortos, contribuiu para enfraquecer um entendimento mais cósmico da Igreja»[3].

Todavia, a Igreja Católica não podia abolir nem enfraquecer a tradição cristã. A doutrina não pode ser criada nem destruída, não pode ser alterada nem interrompida. Por isso ainda rezamos, na Missa dos Fiéis Defuntos: «Senhor, para os que creem em Vós, a vida não é tirada, mas transformada». Ou como disse, de maneira mais coloquial, o padre Joseph disse ao meu amigo em Roma: «Os relacionamentos não têm fim». Podemos rezar pelos mortos – e devemos dar graças a Deus por isso. Ele é misericordioso, e sua misericórdia dura *para sempre*!

Medite no coração

Davi também diz: *Porque o seu amor é para sempre* [Sl 117, 1]. E nisso fica claro o seguinte: qualquer que seja a condição de um homem ao deixar esta vida, é nessa mesma condição que será apresentado em juízo diante de Deus.

---

(2) São João Crisóstomo, *Homilias sobre a Primeira Carta aos Coríntios*, 41, 5.
(3) Frank C. Senn, «Sacraments and Social History: Postmodern Practice», *Theology Today*, edição de outubro de 2001, pág. 294.

No entanto, devemos crer em que antes do dia do juízo haverá um fogo purgatório para certos pecados menores, uma vez que diz nosso Salvador: todo o que blasfemar contra o Espírito Santo não será perdoado nem neste mundo, nem no próximo. Com essa sentença, entendemos que alguns pecados são perdoados neste mundo e outros talvez o sejam no próximo, pois entende-se que o que é negado em relação a um pecado é concedido em relação a outro.

Não obstante, como já se falou, devemos acreditar nisso apenas no que diz respeito aos pecados menores: por exemplo, às conversas ociosas do dia a dia, ao riso imoderado [...] – dificilmente se pode evitar essas ofensas – [...] e a erros causados pelo desconhecimento de matérias não tão relevantes. Todos esses pecados serão punidos depois da morte caso não tenhamos obtido perdão e remissão em vida.

Com efeito, diz São Paulo que Cristo é a fundação, ao que logo acrescenta:

> *Agora, se alguém edifica sobre este fundamento, com ouro, ou com prata, ou com pedras preciosas, com madeira, ou com feno, ou com palha, a obra de cada um aparecerá.* [...] *Será descoberto pelo fogo; o fogo provará o que vale o trabalho de cada um* (1 Cor 3, 12-13).

Se o que construíste sobre essa fundação resistir, receberás tua recompensa; se queimar, sofrerás perdas, mas serás salvo depois de passar pelo fogo.

Pode-se interpretar que esse fogo se refere às tribulações que sofremos neste mundo. Se, no entanto, interpretamos que se refere ao fogo do purgatório na vida por vir, devemos considerar cuidadosamente a fala do apóstolo: não disse ele que seríamos salvos se edificássemos sobre esse fundamento com ferro, bronze ou chumbo – isto é, com os pecados mais graves e, portanto, mais rígidos, não remissíveis ali. Antes, seremos salvos pelo fogo se edificarmos com madeira, feno e palha – isto é, com pecados pequenos e muito leves, facilmente queimados pela chama. Aqui, entretanto, devemos também considerar que ninguém pode ser purificado no purgatório – nem do menor dos pecados – se não tiver merecido o favor de Deus em vida[4].

– São Gregório Magno, século VI

---

(4) São Gregório Magno, *Diálogos*, 4, 39.

Epílogo

Disse Jesus a seus discípulos: *Pedi e se vos dará. Buscai e achareis. Batei e vos será aberto* (Mt 7, 7).

Pedi, buscai, batei. Jesus não estava, é claro, apenas recitando uma lista de metáforas inusitadas para a oração. Mais provável é que estivesse descrevendo algo que todos poderiam reconhecer como um itinerário de peregrinação à Cidade Santa. Um peregrino começa pedindo instruções sobre o trajeto; em seguida, viaja em busca de seu destino; por fim, ao chegar, bate nos portões da cidade.

A via da oração cristã é a via do peregrino. No Sermão da Montanha é que Jesus traça esse paralelo: Ele nos fala sobre a peregrinação imediatamente após dar orientações disciplinares para a oração, o jejum e a caridade (cf. Mt 6). Dessas palavras surge a devoção católica em sua plenitude, com toda a sua riqueza e toda a sua diversidade. Nós sequer *começamos* a exaurir as diferentes formas de expressar nosso amor, nosso louvor, nossa gratidão, nosso anseio, nosso espanto e nossa contrição.

Jesus nos legou uma tarefa. Ele não nos deixou com uma salvação pronta, embrulhada para presente; não ofereceu respostas para todas as nossas perguntas; tampouco fez cessar todo o nosso sofrimento. Em vez disso, convidou-nos a segui-lO ao longo de uma via – uma via estreita, que leva a uma porta estreita –, a viver uma grande aventura. A estrada de Jesus leva à glória, mas somente pela via do Calvário. Não sabemos exatamente o que nos aguarda na próxima curva, mas sabemos que Deus está conosco e que nos responderá quando pedirmos, buscarmos e batermos – quando rezarmos segundo os velhos costumes.

Ao longo de toda a nossa vida, estamos em peregrinação. Comecei este livro contando a história de minha jornada noturna em direção à cruz, do Rosário que recitei de madrugada pelas ruas do bairro. Eu aprendi, no entanto, que minha identidade como viajante não é ocasional, mas semipermanente. De fato, nossa jornada já não tem como destino uma cidade terrena, como aquela dos discípulos de Jesus no século I. A nossa Jerusalém está no alto – e continuaremos pedindo, buscando e batendo até que tenhamos chegado lá. Não procuramos mais um templo na terra, pois Deus nos está edificando, por meio da nossa oração, para que sejamos um templo celeste.

Este livro tem fim, portanto, do mesmo modo como começou. Meu querido irmão, nós somos filhos de Deus no presente, mas ainda não estamos em casa. Deus é nosso Pai, mas Ele está no céu. É por isso que enfrentamos crises: para que nos lembremos de que somos peregrinos e ainda estamos a caminho. O Pai se vale desses momentos para nos mudar, para acelerar nosso passo, para transformar peregrinos em santos.

Pedimos, buscamos e batemos. Seguimos nosso caminho em peregrinação. Encontramos a graça de que precisamos – embora ela nem sempre seja a que desejávamos ou a que esperávamos encontrar. Recebemos a graça que um Pai perfeito concede aos filhos que estão a caminho de casa.

ESTE LIVRO ACABOU DE SE IMPRIMIR
A 27 DE NOVEMBRO DE 2022,
EM PAPEL IVORY 75 g/m².